완벽이 온다

완벽이
온다

이지애 장편 소설

창비

차례

1장

가게는 비가 와서 밀어닥친 손님들로 분주했다. 주문이 들어갈 때마다 띵동띵동 하는 기계음이 쉼 없이 울렸다. 서빙하는 알바생들은 분주하게 음식을 날랐고, 주방에서는 안주를 굽고 튀겼다. 물로 한 번 헹군 설거짓거리도 식기세척기 안에 차곡차곡 들어갔다. 식기세척기에서 나온 그릇에는 또다시 안주가 담겨 테이블로 서빙되었다. 빠른 비트의 음악이 시끄럽게 울려 퍼지며 사람들의 말소리, 웃음소리와 하나가 되었다. 바쁜 와중에 주머니에서 진동이 계속되었다. 들고 있던 안주 접시를 손님 테이블에 올려놓은 뒤 나는 주머니에 손을 넣어 핸드폰을 꺼냈다. '김선아 선생님'. 내가 6살에 그룹홈으로 입소했을 때부터 근무했던 사회 복지사였다. 독립하고 밤에 일을 시작하면서 그룹홈과는 자연스럽게 연락이 끊어졌다. 그렇게 소식을 주고받지 않은 지 1년이 넘어가고 있었다. 갑자기 무슨 일일까. 선생님의 목소리를 듣기 위해 핸드폰에 귀를 바짝 붙였다.

"민서야, 잘 지내지? 김선아 선생님이야."

"네, 쌤도 잘 지내시죠? 이번에 시작한 일은 저한테 맞아서 잘 지내요."

"정말 다행이다. 선생님은 네가 잘할 줄 알았어. 오랜만에 연락해서 이런 얘기하기 미안한데……. 정말 잘 지내고 있지?"

김선아 선생님은 뜸을 들이다가 한 번 더 나의 안부를 물었다. 선생님은 참 착한 사람이었다. 너무 착해서 꼭 해야 할 말도 못 할 정도였다. 그래서 어려운 얘기를 할 때면 같은 말을 반복하거나 다른 소리를 하며 시간을 끌곤 했다. 비트가 빠른 시끄러운 음악 속에서 웅얼거리는 선생님의 목소리를 골라내 듣기는 쉽지 않았다. 짜증이 나고 답답하기도 해서 나는 선생님을 재촉했다.

"저 일하는 중이에요. 그냥 빨리 말해 주세요."

"미안, 그랬니? 그런데 중요한 일이라 그래. 선생님도 네 목소리가 잘 안 들려서 그런데 잠깐만 조용한 곳으로 나올 수 있니?"

좌석에 앉은 손님들은 호출 벨을 연거푸 누르며 알바생들을 재촉했다. 주문이 많이 밀려 있었다. 주방 안의 화구가 전부 차 있어 주문이 들어간대도 한참 있어야 음식이 나올 것 같았다.

나는 한숨을 쉬고는 바깥으로 나왔다. 습하고 차가운 공기가 코끝에 닿았다.

"무슨 일이길래 그러세요."

"오랜만에 연락해서 이런 소식 전하는 게 선생님이 정말 미안해."

선생님은 그리고서 아무 말이 없었다. 나는 분주한 가게 안을 힐긋 보았다. 알바생들은 바쁘게 오가며 소주, 막걸리, 맥주 등의 술과 모둠 전 같은 안주들을 나르고 있었다. 빨리 가서 일손을 도와야 한다는 생각에 마음이 급해졌다. 수화기 너머 침묵이 이어졌다. 일 끝나고 다시 전화하겠다고 말하려던 찰나 선생님이 입을 열었다.

"너희 아버지 돌아가셨대. 지금 부산에서 장례 치르고 있다더라. 선생님도 급하게 연락받느라 경황이 없어서······. 내일이 입관이래. 갈 거면 주소 알려 주고."

"아, 알려 주셔서 감사해요. 문자로 보내 주세요. 먼저 끊을게요."

전화를 끊고서 나는 우두커니 가게 앞에 섰다. 그제야 가게 간판 아래 처마를 두드리는 빗소리가 들렸다. 나는 가게 안으로 돌아갈 생각도 하지 못하고 처마 끝에 맺혀 떨어지는 빗방울만 하염없이 바라보았다.

나는 그 사람을 분리해 낼 수가 없다. 물리적 분리는 이루어진 지 오래였으나 그것마저도 내가 한 일은 아니었다. 그 사람이 나를 놓아 버린 것처럼 나는 그 사람을 놓을 수가 없다. 그래서 나는 아직도 거기에 있다.

*

'그룹홈'이라고 부르는 '공동생활 가정'에서는 아침에 일어나고 저녁에 잠을 자는 패턴을 배워야 했다. 7살이 되던 해 어린이집에 가게 되면서 일어나고 자는 일 외에도 배울 것이 많아졌다. 사회 복지사들은 나를 가르치면서 다음 해에 있을 초등학교 입학을 걱정하곤 했다. 어린이집에서 다른 아이들과 어울리게 되면서 또래보다 부족한 점들이 드러나기 시작했기 때문이다. 기본적인 어휘와 개념에 구멍이 난 것 같다고 선생님들은 말했다. 7세 반에서 어린이날, 어버이날, 크리스마스가 언제인지, 무슨 날인지 모르는 사람은 나뿐이었다. 어린 동생들보다도 모르는 게 많았던 나는 종종 주변을 당황하게 했다.

어린 시절에 받아야 하는 기본적인 자극들이 부족했던 탓이라고 사회 복지사 선생님이 설명해 주었다. 선생님은 내가 살았던 공사장이 아이에게는 너무 위험하고 좋지 않은 환경이었다며 다른 큰 사고가 없었던 것만으로도 감사한 일이라고 했다. 그런 이야기가 어린이집에도 전달된 것 같았지만 어린이집 선생님들은 내가 입만 열면 놀라고 난처해했다. 나는 그런 말을 하면 안 된다는 말을 자주 들었다. 어른들은 "너를 위해서 그러는 거야."라는 말을 덧붙이곤 했다. 착한 아이가 되기 위해서는 아무 말도 하지 않는 게 가장 쉬운 방법 같았다. 하지만 침묵도 해선 안 되는 일 중 하나였다. 나는 그 기준을 이해할 수 없었다. 모르는 것이 있으면 얼마든지 물어보라는 친절에 막상 궁금한 것을 질문하면 불편한 분위기가 되었다. 나는 더 이상 묻지 않기로 했다. 어른들의 시선이 불쌍한 아이를 도우려는 눈빛에서 불편한 것을 보는 눈빛으로 바뀌는 것보다 그냥 "네." 하고 마는 것이 나았다. 그러면 그들은 다시 딱한 것을 보는 시선으로 친절하게 대해 주었고, 나는 그것에 안도하곤 했다.

그룹홈에 입소한 뒤로는 화장실에 가기 위해 바깥에 나가지 않아도 되었다. 나는 어린이집이 끝나고 집에 돌아오면 소변이 마려운 시늉을 하며 화장실로 뛰어 들어갔다. 수전을 올리면 따뜻한 물이 쏴아 하는 소리를 내며 쏟아졌다. 찬물과 달리 따뜻한 물은 뽀얗고 희게 보였다. 하얗게 김이 서린 거울에 젖은 손가락으로 오늘 배운 글자를 써 보았다. 아빠, 엄마, 김민서. 거울의 표면은 매끄럽고 차가웠다. 젖은 손바닥이 거울에 닿으니 글자가 사라지며 나의 얼굴을 선명하게 비추었다. 나는 그게 싫어 고개를 숙여 세면대에 가득 채운 물을 바라보았다. 세면대 안에 두 손을 넣자 수면이 높아졌다. 두 손을 빼니 수면이 도로 낮아졌다. 다시 물속에 손을 넣었다. 따뜻했다. 손을 단숨에 빼내자 해일이 일듯 세면대 안의 물이 넘실거렸다. 나는 찰방거리며 금세라도 바닥으로 쏟아질 것 같은 물을 하염없이 바라보았다. '바닥에 흘리지 않기'와 '선생님께 걸리지 않기'가 내가 만든 규칙의 전부였다. 하지만 얼마 안 가 나의 행동을 의심스럽게 생각한 선생님이 화장실 문을 벌컥 열고 들어오는 바람에 놀이는 끝이 났다. 선생님은 다 같이 쓰는 물이기 때문에 아껴 써야 한다며 물장난을 하지 말라고 했다. 따뜻한 물은 어린이집 화장실에도 나오기 때문에 나는 네, 하고 말았다. 그룹홈은 해야 할 일과 하면 안 되는 일이 너무 많다고 불만을 가지는 아이들도 있었다. 그들 중 몇몇은 그룹홈을 떠났다. 나는 갈 곳이 없었기 때문에 적응했다. 하지만 만 18세가 되자 시설에서 나가야 한다는 규정으로 인해 나는 떠밀리듯 세상으로 나오게 되었다. 통장에 찍힌 오백만 원의 자립 지원금과 함께 그룹홈에서 만들어진 생활 패턴은 얼마 지나지 않아 모두 무로 돌아갔다.

*

그룹홈을 나온 후 마트에서 물건을 진열하는 알바를 시작했다. 무거운 박스를 옮기고 여러 가지 품목의 정해진 위치를 외우는 것보다 아침에 일어나 출근하는 일이 어려웠다. 면접을 잘

13

못 봐서인지 파트타임 자리에 들어가기도 쉽지 않았다. 겨우 일자리를 구하면 자꾸 지각하는 바람에 허무하게 잘리기 일쑤였다. 얼마 전 알바에서 잘린 후, 구직 앱을 켜고 *끄기*를 반복했다. 이력서는 넣지 않았다. 돈을 벌어야 하는데 아직 벌고 싶지 않다는 게 이상하지만 이유였다. 그러다 공고 하나가 눈에 띄었다. 지지미 비빔국수 홀 서빙 야간 근무 우대. 엄지손가락으로 터치하자 알바 정보로 화면이 바뀌었다.

급여 · 협의

근무 기간 · 1년 이상

근무 요일 · 주 6일(월, 수, 목, 금, 토, 일)

근무 시간 · 9:00~21:00, 21:00~9:00 중 선택

홀 서빙 경험 있으신 분이면 좋겠습니다^^

가족같이 열심히 일하실 분 모십니다~~

성실하고 밝은 분이면 좋겠습니다~~^^

가족같이 일한다는 건 어떻게 일하는 걸까. 협의는 대체 얼마를 준다는 거지. 그동안을 돌아보았을 때 1년 이상 근무할 수 있을지 장담할 수 없었다. 가장 큰 문제는 내가 그다지 성실하지도 밝지도 않은 성격이라는 거였다. 그나마 얼마 전에 하다가

잘린 일이 홀 서빙 알바였다는 게 비빌 언덕이었다. 걱정과 달리 면접은 어렵지 않았다. 사장님은 내가 근무 요일과 시간을 제대로 알고 있는지, 야간에 출근이 가능한지, 비슷한 알바를 해 본 경험이 있는지, 오래 일할 수 있는지만 질문했다. 나는 모두 "네."라고 대답했고 사장님은 나를 채용했다.

일당을 받고 일하는 다른 알바생들과는 다르게 나는 화요일 휴일을 제외하곤 매일같이 출근했다. 야간 일을 마치고 아침부터 술을 마시는 알바생들이 다음 날 지각이나 결근이 잦은 건 당연했다. 주말 새벽 5시는 바쁜 시간 중 하나였다. 밤새도록 지하에서 춤을 추던 사람들은 클럽 영업시간이 끝나면 지상으로 올라와 우리 가게의 손님이 되었다. 아침부터 술을 마시는 알바생들이나 클럽에서 넘어오는 손님들이나 내게는 마찬가지였다.

또래 알바생들은 불편했다. 그들과 같이 웃어야 할 타이밍을 맞추는 게 어려웠다. 다들 웃는데 나 혼자 웃지 못하는 순간이 가장 난처했다. 생각하는 걸 다 말하는 게 아니라고 배웠지만 그다음은 익히지 못했다.

어른이 된다고 모르는 것들을 자연스레 알게 되는 것은 아니었다. 아이돌이나 SNS 등 또래들이 관심 갖는 것들에 별로 흥미가 없는 것도 그들과의 관계를 더 어렵게 했다. 요즘 아이들

같지 않다는 어른들의 말은 칭찬 같으면서도 마음을 불편하게 했다. 또래들의 관심사는 아빠를 연상하게 하는 것이거나, 경험해 보지 못해 모르는 것이기도 했다. 이를테면 게스트 하우스에 모여 술을 마시고 즐기거나 이성을 만나기 위해 돈을 들여 꾸미는 일에 대해 나는 알고 싶지 않았다.

민아는 한심한 쪽에 속하는 알바생 중 하나였다. 민아의 입은 쉬지 않았다. 아무도 없을 때는 입을 꾹 다물고 있다가도 어쩌다 같이 주방에 있게 되거나, 화장실에서 잠깐이라도 마주치게 되면 민아는 주변 사람들이 들으라는 식으로 자기 이야기를 하기 시작했다. 한숨 소리도 민아가 내게 하는 말 중 하나였다. 그 애가 온종일 떠들든 말든 관심이 있는 사람은 아무도 없었다. 엄마가 매일 술을 마셔서 속상하다는 말이 반복되었다. 그게 민아가 하는 이야기의 대부분이었지만 민아 자신도 매일같이 술을 마시고 진상을 부리는 바람에 그 애가 매일 욕하는 사람이 자기 엄마인지 자신인지 알 수 없었다. 그런 행동이 반복되다 보니 나는 민아와 단둘이 있기를 피했고, 다른 사람들도 민아를 보면 자리를 뜨곤 했다.

여느 때와 같이 아침 회식을 거절하는 나에게 민아는 다른 알바생들이 그런 나를 두고 아침형 인간이라고 부른다며 비꼬듯 말했다. 그걸 말하면 어떡하느냐며 다른 알바생이 민아에게 눈치를 주었지만 이미 인사불성인 민아에게는 들리지 않는 것 같왔다. 내가 정말 아침형 인간이었다면 얼마나 좋았을까. 나는 그동안 아침에 일어나지 못해 잘려 왔던 알바들을 떠올렸다. 아침형 인간이라는 놀림은 기분 나빴지만 그렇다고 화를 내기에는 애매했다.

밤에 일하고 낮에 자니 통장에는 돈이 모였다. 늘어 가는 근무일과 통장 잔고에 나는 드디어 어른이 된 것 같았다. 사장님도 나를 마음에 들어 했다. 요즘에 너 같은 애들 없다고, 너만 믿는다며. 사장님이 일 년 정도 근무한 나를 매니저로 채용하자 나는 조금 우쭐해졌다. 정규직 매니저의 임금은 아르바이트 때보다 높고 고정적이어서 생활은 전보다 안정되었다. 나는 다른 알바생들이 나를 어떻게 생각하든 신경 쓰지 않기로 했다. 더는 '요즘 애들'이 부럽지 않았다. 하는 일은 전과 비슷했다. 원래 업무에 알바생 관리가 추가되는 정도였고 사장님은 미성년자 단속에 신경 써 달라고 따로 당부했다.

나는 영업 준비로 한창인 가게 구석에 자리를 잡고 다시 한번 핸드폰을 들여다보았다. 이번 주말에 출근하기로 한 민아가 연락이 되지 않았다. 온다는 건지, 만다는 건지. 한숨만 푹푹 쉬던 내 중얼거림을 들었는지 야간 알바생인 찬혁이 말했다.

"오늘 아침에 민아 누나 완전 꽐라 돼서 울고불고 난리 치다가 집에 갔잖아요. 쪽팔려서 이번 주말엔 안 올걸요?"

일 끝나면 집에나 가지. 웬수 같다던 술이 뭐가 좋다고 아침

17

부터 그렇게 마셨을까. 그놈의 엄마 타령도 안 듣고 잘됐네. 나는 민아에게 전화하는 것을 그만두고 대타로 올 것 같은 알바생 몇몇에게 메시지를 보냈다. 가게 안으로 밀려들던 손님들은 소나기가 그치고 줄어들었다. 주방 이모는 이제야 살겠다고 홀 테이블 쪽으로 걸어 나왔다. 바빠 죽는 줄 알았네. 내가 일하는 날에만 꼭 비가 오더라. 사장님과 주방 이모는 직원들의 늦은 저녁 식사를 챙겼다. 야간 알바생들은 집에서 나와 혼자 사는 애들이 대부분이었다. 식당 알바는 돈 없을 때도 밥 굶을 일이 없고 남은 음식을 싸 갈 수 있어서 좋았다. 요즘 애들은 이 좋은 세상에도 잘 못 챙겨 먹고 다녀서 비실거려. 주방 이모는 나이가 들어 무릎이 불편해 다리를 절었지만 감기를 달고 사는 건 우리였다. 이모 덕분에 나는 '이 좋은 세상'에 태어난 '요즘 애들'이 되었다. 저녁은 돼지고기 김치찌개였다. 알바생들은 김치찌개에 들어간 푸짐한 돼지고기에 신이 났다. 나는 밥 먹으려고 여기 오는 거야. 학교 다닐 때 급식 시간에 들었을 법한 말도 나왔다. 나도 식사에 집중하려고 했지만 아까 받았던 전화가 자꾸 신경이 쓰였다.

"이모, 이모는 내가 죽으면 장례식에 올 거예요?"

"얘는 밥 먹다가 무슨 소리야. 네가 내 장례식에 와야지. 죽는 건 차례 없다지만 젊은 애가 그런 말 하는 거 아니야. 재수 없어."

18

"오늘 아빠가 죽었대요. 엄마는 원래 없고 내가 죽으면 누가 올까 해서요."

갑자기 주변이 조용해진 것 같았다. 사장님과 이모의 얼굴에서 내가 잘못된 말을 했을 때 선생님들이 지었던 익숙한 표정이 스쳐 지나갔다.

*

6살 때까지 나는 아빠와 단둘이 살았다. 2살까지는 엄마도 같이 살았다고 했으나 내 기억에는 없다. 우리는 숙식을 제공하는 공사 현장의 컨테이너에서 살았다. 평소에는 현장 인부들과 함께 밥을 먹었고 주말에는 아빠가 밥을 해 주었다. 아빠는 새벽 5시가 되면 나가서 한밤중이 되어서야 돌아왔다. 아빠가 문을 열고 집 안에 들어서면 땀 냄새와 함께 묵은 담배 냄새가 직사각형 공간을 가득 채웠다. 나를 끌어안는 아빠의 입에선 막걸리 냄새가 났다. 아빠 냄새가 고약하다고 생각했지만 기다림 끝에 맡는 냄새라 싫지는 않았다. 나를 위해 사 온 과자를 안주 삼아 아빠의 말은 끝도 없이 이어졌다. 엄마에 대한 내용도 있었다. 어미가 되어서 어떻게 자식을 버릴 수 있느냐는 비난을 하다가도 다 내가 못난 탓이지, 하는 말이 이어졌다. 나는 그 와중에도 엄마에 대한 이야기를 한마디라도 더 들으려고 귀를 기울

19

였다. 그러니까 너는 학교 들어가면 공부 열심히 해야 한다. 안 그러면 아빠처럼 추울 땐 추운 데서, 더울 땐 더운 데서 일해야 하는 거야. 이야기가 끝도 없이 이어져서 아빠의 어머니, 할머니에 대한 이야기까지 나오면 나는 잘 알아듣지도 못하면서 아빠가 불쌍해서 울었다. 내가 울다 지쳐 잠이 들 때까지 이야기는 계속되었다. 아빠는 잠든 나를 앞에 두고 혼잣말했을지도 모르겠다.

컨테이너의 여름은 뜨거웠다. 여름의 태양이 컨테이너를 달구면 나는 주변을 돌아다니며 컨테이너가 식기를 기다렸다. 저녁에 들어간 컨테이너는 한낮의 열기를 머금어 따끈따끈했다. 아빠는 여름에 일하는 게 더 힘든 것 같았지만 내게는 그 속에서 겨울을 나는 일이 더 힘들었다. 전기 매트와 두꺼운 솜이불이 컨테이너의 공기까지 데워 주지는 않았다. 내의를 입고 양말을 여러 겹 겹쳐 신어도 발끝이 시렸다. 추위를 견디지 못하고 컨테이너 밖으로 나온 나를 보고 건설 현장의 이모들이 앓는 소리를 내었다. 엄마가 없어서 불쌍하다고 대놓고 말하는 사람은 없었지만 어른들이 나를 두고 하는 이야기는 자주 내 귀에 들렸다. 그래도 주방은 따뜻했고 나는 이모들에게 빵과 음료수를 얻어먹을 수 있어서 좋았다.

그러던 어느 날부터 아빠는 돌아오지 않았다. 겨울이라 해가 빨리 졌다. 내린 눈이 얼었다 녹기를 반복하며 제멋대로 굳어 버린 땅은 나뭇가지로 힘을 주어 긁어도 잘 파이지 않았다. 아빠를 기다리다 식사 시간이 되면 함바 식당에서 밥을 먹었다. 이모들은 나를 보고 평소보다 더 많이 혀 차는 소리를 내었다. 한 이모가 아빠는 집에 오느냐고 물었다. 아빠가 곧 집에 올 거라 믿었기 때문에 나는 안 들어올 때도 있지만 들어올 때도 있다고 거짓말했다. 아빠가 요즘 집에 돌아오지 않는다는 사실이 알려질까 봐 겁이 났다. 그 이후로는 식당에 가서 몰래 밥을 먹고 오거나 끼니를 거르기도 했다. 그런 생활이 꽤 길어진 어느 날 누군가 컨테이너 문을 두드렸다. 혹시 아빠일까 봐 옷도 제대로 입지 않고 벌컥 문을 연 내 앞에 모르는 어른이 서 있었다. 낯선 어른은 자신을 사회 복지사라고 소개했다. 어린아이가 여기서 혼자 지내기 위험하니 쉼터로 가게 될 거라고 했다. 저는 여기서 아빠를 기다려야 하는데요. 아빠가 당분간 올 수 없다고 해서 우리가 너를 잠시 데리고 있기로 했어. 사회 복지사는 담담한 표정으로 내 물건 몇 가지를 챙겼다. 그렇게 쉼터에서 지내던 중 아빠가 친권을 포기했다는 이야기를 들었다. 나에 대한 아빠로서의 권리를 포기한 것이라고 했다. 그때는 그게 무슨 뜻인지 정확히 알 수 없었지만 자라면서 알게 되었다. 내겐 아빠가 친권을 포기했다는 사실이 다시 돌아오지 않은 것보다 더 충격적이었다.

*

첫차는 새벽 6시였다. 시민장례식장, 부산시 부산진구 자유평화로31. 선생님이 보내 준 문자를 보며 갈아탈 버스 노선을 검색했다. 사장님과 주방 이모의 성화에 세 시간 정도 이른 퇴근을 하고 부산행 KTX에 올랐다. 장례식장에 도착하니 사장님이 보낸 화환이 나보다 먼저 도착해 조촐한 빈소를 채우고 있었다. '지지미 비빔국수 직원 일동. 삼가 고인의 명복을 빕니다.' 이모들과 사장님이 챙겨 준 부조금 봉투가 꽤 두둑했다. 액수도 세어 보지 않은 흰 봉투를 조의금함에 넣었다. 조의금함 윗부분에는 부조금의 100%가 무연고자 장례를 위한 후원금으로 쓰인다는 안내 문구가 적혀 있었다. 선뜻 안에 들어가지 못하고 머뭇거리는 나에게 빈소 앞을 지키고 있던 남자가 말을 걸었다.

"지인분이신가 봐요. 오늘이 입관일인데 사람이 너무 없더라고요. 그래도 오늘은 화환도 하나 들어오고 손님도 한 분 오셨네요."

네, 맞아요. 지인분. 그 사람이 친권을 포기했으니 우리는 지인 관계가 맞다. 결혼은 부모 덕, 장례는 자식 덕이라더니 아빠는 내 덕을 보네. 아빠 덕 본 거 하나 없는 나는 억울해서 어떡하나. 그 사람이 저렇게 생겼었나 싶은 영정 사진을 보고 국화꽃 한 송이를 그 앞에 놓고 나자 더 이상 할 일이 없었다. 더는 머물고 말고 할 것도 없었다. 당신은 이번에도 한마디도 하지 않고 내 세상에서 완전히 떨어져 나갔구나. 그렇게 놓을 거면 시작도 하지 말지.

날씨가 *끄물끄물*하더니 수원역에 다시 도착했을 땐 조금씩 비가 내리기 시작했다. 밖에서 대기라도 하고 있었던 것처럼 식당으로 사람들이 쏟아져 들어왔다. 갑자기 굵어진 빗줄기를 피해 가게로 서둘러 들어가는 사람 중에는 나도 있었다. 비가 조금씩 왔을 때 우산값을 아낀다고 편의점을 그냥 지나치지 말았어야 했는데. 처음에는 오는 줄도 몰랐던 빗줄기가 점차 굵어져 고개를 숙이고 모자를 눌러써 보아도 눈 안으로 빗물이 흘러드는 것을 막을 수 없었다. 시야를 방해하는 비와 복잡한 가게 입구 탓에 앞에 사물이 있다는 것을 모른 채 서둘러 발을 뻗었다. 연보라색 젖은 천이 시야 가득히 들어찼다. 나는 균형을 잃고 바닥에 고꾸라졌다. 넘어지지 않으려고 잡히는 대로 손을 뻗어 보아도 아무것도 손에 닿지 않았다. 연보라색 물체가 멀찍이 물러서며 작아진다. 애꿎은 가게 현수막과 잡동사니들이 나와 함께 무너지면서 큰 소리를 내었다.

"괜찮아?"

우산을 쓴 사람이 손을 내밀었다. 연보라색 우산이었다. 흙탕물투성이의 새빨간 손과 하얗고 조금 붉은 손이 만났다. 맞닿

23

은 손으로 상대의 온기가 느껴졌다.

"어떡해. 손이 다 얼었네."

길고 구불구불한 분홍색 머리카락의 우산 주인이 맞닿은 내 손을 꼭 감싸 쥐었다. 하얀 손보다도 더 하얗게 칠한 긴 손톱 위에 화려한 네일 파츠가 반짝거렸다. 물어뜯어 끝이 울퉁불퉁해진 짧은 내 손톱이 괜히 신경 쓰였다. 친한 척 닿아 있는 온기가 불쾌해서 재빨리 일어선 후 상대의 손을 털어 냈다. 온기가 가신다.

"괜찮습니다. 반말하지 마세요."

"이게 무슨 일이야, 바빠 죽겠는데. 둘 다 머리가 그게 뭐니?"

물건들이 쏟아지는 소리에 놀란 주방 이모가 바깥으로 뛰어나왔다. 어휴, 찬혁이 너는 입구에 서 있으면서 이 꼴을 보고서도 그러고 있어. 이것 좀 나와서 치워. 휴대폰을 만지작거리며 못 본 척하던 찬혁이 주방 이모 말을 듣고 마지못해 투덜거리며 나왔다. 매니저 누나 오자마자 왜 이래요. 비도 오는데 귀찮게. 불평하며 나오던 찬혁이 분홍 머리를 발견하고 말했다. 누나는 이번엔 머리카락이 엄청나게 길어졌네. 색깔은 그게 뭐야. 분홍색인가? 분홍 머리는 찬혁의 말을 듣더니 황당하다는 표정으로 말했다.

"분홍색이 뭐야, 촌스럽게. 애시 핑크야. 짧은 머리 지겨워져서 붙임 머리 해 봤는데 어때?"

나는 대화를 듣고 나서야 찬혁과 대화를 나눈 사람이 소미라는 것을 알아차렸다.

"아, 소미."

"난 줄 몰랐어? 좀 서운하다. 이모, 얘 진짜 웃겨요. 머리 길어졌다고 못 알아보고는 '괜찮습니다. 반말하지 마세요.' 이러는 거 있죠."

소미가 내 말투를 흉내 내며 말했다. 뭐가 그렇게 웃긴지 찬혁이 킥킥거리며 웃었다. 이모도 내 눈치를 살피며 입가를 가리고서 작게 웃었다. 나는 무표정한 얼굴로 팔짱을 끼며 소미에게 말했다.

"네가 웬일이야. 오늘 출근일 아니잖아."

"네가 전화했잖아요오. 민아 안 나와서 사람 없다고. 대타 뛰러 왔지."

소미는 존댓말을 길게 늘이며 빈정거렸다. 소미는 유일하게 나와 나이가 같은 알바생이었다. 친구라며 친근하게 구는 소미가 나는 조금 불편했다. 소미는 대학생이었다. 집에서 받는 용돈이 부족하다고 수업이 없는 시간에 알바를 한다고 했다. 소미는 주간 알바생이었는데 오늘같이 필요한 날 미리 연락하면 주야에 상관없이 오기도 했다.

"부산에 가서 네일 아트 받다가 네 연락 때문에 일정 당겨서 올라온 거야."

25

소미는 내가 한 전화 때문에 부산까지 가서 돼지국밥도 먹지 않고 바로 올라온 거라며 생색을 냈다. 주방 이모는 소미의 손톱에 관심이 가는지 예쁘다며 물었다.

"그게 얼만데."

"이십만 원이요."

놀란 주방 이모와 찬혁이 숨을 들이마시며 헤에, 하는 소리를 내었다.

"좀 비싸긴 하지만 그 언니만큼 잘 통하고 내 스타일대로 해 주는 사람이 없어요. 자주 하는 것도 아니고 종강하면 한번씩 스트레스 풀러 가는 거예요."

"어이구야, 나는 손톱 쪼가리를 이십만 원 주고는 절대 못 한다."

"저 말고도 서울에서 찾아가는 사람들 많아서 한 달 전에는 예약해야 해요. 지인 소개받으면 15% 할인도 해 주고요."

아유, 됐다 됐어. 주방 이모는 소미의 말을 끊으며 다시 가게 안으로 들어갔다. 나도 관심 없는 얘기들을 뒤로하고 직원 방으로 갔다. 젖은 옷을 유니폼으로 갈아입고 나오는데 앞에서 기다리던 주방 이모가 말을 걸었다.

"내일이 발인이라더니 왜 이렇게 빨리 왔어. 괜찮니?"

주방 이모가 내 손을 잡았다. 정말 손이 차네. 나를 마주 보는 이모의 눈시울이 붉어졌다. 오늘은 정말 괜찮지 않았다. 한번

쯤은 안 괜찮다고 말해도 괜찮지 않을까. 하지만 내 입에서 흘러나온 말은 정반대였다.

"어차피 무연고 장례라 제가 그 사람 딸인지도 모르더라고요. 괜찮아요."

괜찮지 않아도 적당히 괜찮다고 하는 것도 그룹홈에서 배운 것 중 하나였다.

"그럼 좀 들어가서 쉬지 그랬어."

나는 집에 돌아가고 싶지 않아 다시 힘주어 말했다.

"저는 괜찮아요."

"오늘 같은 날은 쉬는 거야. 머리도 엉망이고, 대체 머리는 언제 감았니."

"어, 그게요. 그게 언제더라……."

손가락으로 머리를 감지 않은 날을 셈하자, 주방 이모는 됐다며 손사래를 쳤다. 아휴, 동갑인데 어쩜 이렇게 다르니. 아무튼 무리하지 말고 오늘은 집에 가서 쉬어. 소미도 와서 오늘 일손 안 부족하니까. 할 얘기를 마치고 주방으로 향하는 이모를 다급하게 부르며 최대한 불쌍해 보이는 표정을 지었다. 아니, 그게 아니라요. 집에 혼자 있기 싫어서요. 나를 집에 보내려던 이모의 시선이 누그러진다.

보통 사람들처럼 아빠의 빈소를 끝까지 지키지 않아서 벌을

27

받은 걸까. 아까 집에 가라는 이모 말을 들을걸. 밀려드는 손님 중에 미성년자가 있었다. 한 명도 아니고 여덟이었다. 그 손님들이 들어오고서 가게 매출이 신나게 올랐다. 몸이 바빠지니 머릿속이 복잡하지 않아서 나도 덩달아 신이 났다. 해가 떠서 날은 이미 밝았는데 여덟이 진탕 술에 취해 휘청휘청 걸어 계산대에 섰다. 그중 하나가 큰 소리로 말했다. 여기는 내가 쏜다. 나머지가 와아 하고 환호성을 지르며 자기들끼리 키득거리더니 하라는 계산은 안 하고 어딘가 전화를 걸었다. 저희는 미성년자인데요, 사거리에 있는 지지미 비빔국수 있죠. 거기서 우리한테 술을 팔았어요. 얼마 안 가 경찰이 왔고 죄인은 나였다. 미성년자를 받았다고 신고가 들어갔을 때 우리가 걱정한 것은 벌금이 아니었다. 저번에 한 번 걸린 적이 있어 또 걸리면 절대 안 된다고 신신당부하던 사장님의 모습이 갑자기 떠올랐다. 소식을 듣고 술을 마신 건지, 술을 마시다가 소식을 들은 건지 잔뜩 취한 사장님이 가게로 왔다. 사장님이 고개를 푹 숙이고 있는 나를 손가락으로 가리키며 말했다.

"너는 무슨 애가 아버지가 돌아가셨는데 굳이 와서 이 사단을 만들어. 미자들 게네 딱 보니까 어린애들이던데. 한 명도 아니고 어떻게 여덟을 몰라. 이제 한 달 영업 정지면 완전 망한 거야. 장사 좀 되는가 했는데 어린 여자애를 뭘 믿고 매니저를 시켜서 신세를 조지냐."

미성년자와 경찰들의 소란에 손님들이 다 떠나고 적막한 가게에 사장님의 주절거림만 울렸다. 한쪽 구석에서는 소미가 길어진 자신의 애시 핑크 머리카락을 만지작거린 채 주방 이모에게 어떡하느냐며 발을 동동 구르는 모습이 보였다. 다른 알바생들 사이에서는 안됐다고, 불쌍하다며 수군대는 소리가 들리는 것 같았다. 불쌍한 건 나일까, 사장님일까. 그들이 불쌍히 여기는 게 누구인지는 모르겠지만 동정받아도 나아질 건 없어 보였다.

"어휴, 사장님도 속상한 거 아는데 그만해요. 오늘 상 당한 애한테……. 너도 얼른 집에 가서 쉬어. 애썼다."

주방 이모가 말리자 사장님도 내게 주절거리는 것을 멈추었다. 대신 사장님은 바닥에 털썩 주저앉아 아이고, 망했네, 아이고 하며 곡소리를 내기 시작했다. 사장님에게서 풍겨 오는 막걸리 냄새는 익숙하고 역겨웠다. 주절거리는 목소리도, 술에 취해 혀가 꼬부라진 말투도. 술에 취한 손님을 자주 상대했기에 익숙했던 것들이 별안간 낯설게 느껴졌다. 술에 취한 모습을 갑자기 역겹게 느끼는 내가 이상했다. 모든 게 아빠 같았다. 술을 마시고 신세 한탄하는 사장님이, 도망치는 내가. 결국 나는 돌아서고 말았다.

나는 불빛 하나 없는 어두운 곳에 서 있다. 한참 동안 주변을 살펴도 까만 어둠만이 보였다. 갑자기 몸이 화끈거리고 뜨거웠다. 주변이 너무 조용해서 상처가 욱신거리는 소리가 들릴 것만 같았다. 나는 더욱 기척을 죽였다. 여기서 죽을지도 모른다는 생각이 들었다. 숨을 죽이고 핸드폰의 홈 버튼을 눌렀다. 갑자기 나온 빛이 내 얼굴에 쏟아졌다. 핸드폰을 잡은 손바닥에 땀이 솟아올라 축축하게 젖어 들었다. 땀방울 맺힌 화면이 무지개색으로 번져 보였다. 어둠 밖으로 드러난 얼굴이 불안했다. 어쩌지. 마음이 급했다. 계속 숨어 있을 순 없잖아. 나는 마음을 단단히 먹고 연락처를 열었다. 이미 저장된 일흔여덟 개의 번호가 있었다. 대부분은 연락이 오지도 가지도 않을 전화번호였지만 지우지 않았다. 혹시 나중에 필요할지도 모르고, 오래 저장해 둔다고 돈이 드는 것도 아니니까. 그런 이유였는데 어떤 번호에도 손이 가지 않았다. 나는 연락처 사이에서 '아빠'를 찾기 시작했다. 없다. 나는 망연해져서 중얼거렸다. 아빠 번호가 없어. 미련을 버리지 못한 두 개의 엄지손가락이 핸드폰 화면을 위아래로 훑고 또 훑었다. 아빠 번호가 없어. 아빠 번호가 없어…….

"아빠 번호가 없어."

중얼거림이 입으로 터져 나왔다. 바짝 마른 목소리가 갈라져 나왔다. 나는 무의식중에 스스로 만든 소리에 놀라 잠에서 깼다. 축축이 젖은 베개에서 일어나 몸을 일으킨 후 젖은 뺨을 신경질적으로 닦았다. 꿈의 여파인지 속이 텅 빈 것처럼 공허하다. 아무리 꿈속이라지만 아빠의 전화번호가 없다는 사실을 까맣게 잊을 수 있다는 게 놀라웠다. 어떻게 아빠 번호가 있을 거라고 생각했지. 한 번도 가진 적 없었는데. 하지만 있는 줄 알았는데 없는 건 이렇게 슬프구나. 내겐 슬퍼할 기회조차 없었던 걸지도 모른다. 하지만 나는 더 이상 생각하지 않기로 했다. 나는 다시 이불 속을 파고들며 빌었다. 영원히 잠들게 해 주세요.

2장

잠잠한 휴대폰을 울린 것은 해서 언니의 톡이었다.

잘 지내? ㅋㅋㅋ

그냥 하는 말이라는 걸 아는데도 잘 지낸다고 하기가 어려웠
다. 나는 잠시 뜸을 들이다가 답했다.

아니 몸이 좀 안 좋아서 쉬고 있어 ㅠㅠ

기다렸다는 듯 대화 창의 숫자 1이 사라지고 나서 바로 해서
언니의 답이 왔다.

헐 아팠음 말을 하징ㅠㅠㅠㅠ

아니, 이제 다 끝났어ㅋㅋ

아 진짜??? 근데 나 할 말 있어 만나서 얘기하자ㅋㅋㅋ

　그러고 보니 일을 그만두고서 편의점에 한 번 나간 것 외엔 외출한 적이 없었다. 보름 정도를 집 안에서 보내고 나니 밖에서 해서 언니를 만나는 게 어색하게 느껴졌다.

그냥 지금 말해 주면 안 돼?ㅋ

만나서 해야 할 말이라 그래. 날짜 맞춰 보자!ㅋㅋㅋ

　만나서 해야 하는 말이 뭘까. 나도 만나서 아빠 이야길 해야 하는 걸까. 원래 없던 사람이 없어진 것뿐이라 달라질 것도 없었다. 예전과 똑같다는 생각과는 별개로 가슴은 뻥 뚫린 것처럼 공허하다. 말할까, 말까. 해서 언니에게 알리고 싶은 마음과 말하고 싶지 않은 마음이 제법 팽팽하게 힘을 겨루었다. 말하고 싶은데 말하기 싫어서 나는 내가 정말 어쩌고 싶은 건지 알 수가 없었다. 어떻게든 되겠지. 나는 힘주기를 멈춘다.

*

　해서 언니는 그룹홈에서 같은 방을 썼던 네 살 터울의 언니
다. 내가 그룹홈에 온 첫날, 해서 언니는 같이 방을 쓰게 된 나에
게 "이제부터 넌 내 동생이야."라고 말했다. 해서 언니는 내가
진짜 친동생이라도 된 것처럼 나를 아끼고 챙겼다. 초면인 나를
반기는 언니의 살가움이 신기하면서도 좋았다. 그룹홈은 경기
도의 한 아파트에 위치하고 있었다. 같은 재단에서 운영하는 그
룹홈은 총 두 개였는데 나머지 한 곳의 위치는 알 수 없었다. 홈
페이지에도 그룹홈을 운영하고 있다고만 되어 있고 위치는 공
개되지 않았다. 사회 복지사와 아이들을 입소 아동의 가족으로
부터 보호하기 위해서 비공개가 원칙이라고 했다. 왜 아이들을
가족에게서 보호해야 하는 걸까? 나는 알 수 없었지만 당시에
는 그저 그런가 보다 했다.
　그룹홈은 부모가 돌볼 수 없거나 부모가 돌보기를 거절하여
보호가 필요한 아이들이 모여 사는 집이다. 주택이나 아파트
에 거주지를 만들어 가정에서 학교에 다니는 아이들과 최대한
비슷한 환경에서 자랄 수 있도록 하는 게 그룹홈의 목적이라고
했다.
　원래는 열 살인 해서 언니가 혼자, 설과 솔이라는 아홉 살 쌍
둥이 언니들 둘이서 각각 방을 썼는데, 내가 들어오면서 해서

언니와 한방을 쓰게 되었다. 사회 복지사 두 명이 주간, 야간을 돌아가면서 보호자 역할을 했다. 내가 그룹홈에 입소하고 얼마 되지 않아 사회 복지사 선생님 둘이 새로 들어왔다. 조금 얼떨떨해하는 나에게 해서 언니가 여기는 원래 이렇다고 알려 주었다. 저는 아빠가 없어요. 엄마는 남자 친구랑 같이 사는데요, 둘이 결혼하면 저를 다시 데리고 갈 거래요. 해서 언니가 새로 온 사회 복지사들에게 한 말이었다. 쌍둥이 언니들은 그날 새로 온 김선아, 정해정 선생님과 원래 알고 지낸 사이인 양 찰싹 달라붙어 앉아 있었다. 나는 조금 떨어져 상황을 살폈다.

새 선생님들과 인사를 마치고 우리는 아파트 앞 놀이터에 놀러 나왔다. 설과 솔 언니는 그네를 탔고 나는 그 옆에 서서 차례를 기다렸다. 해서 언니는 그네와 그네 주변을 나눈 파이프 모양 울타리에 걸터앉아서 다리를 흔들며 말했다.

"아까 선생님들 표정 봤어? 진짜 웃기다니깐. 그래도 한번 이래 주면 편해. 나에 대해 뭘 안다고 동정을 해?"

"동정이 뭐야?"

"바보야, 동정도 몰라? 나 참, 내가 어린이집 교사도 아니고."

해서 언니는 그렇게 말하면서도 선생님이라도 된 듯 신나서 설명했다. 동정은 불쌍하다고 생각하는 거야. 그 말에 함바 식당에서 나에게 빵과 음료수를 주었던 이모들이 떠올랐다.

"나는 동정 좋은데."

"너는 진짜 무슨 생각을 하고 사는지 모르겠다."

나와 해서 언니의 대화를 옆에서 듣던 설 언니가 말했다.

설 언니와 솔 언니는 자기들끼리 속닥이더니 키득거리기 시작했다. 설, 솔 언니는 경쟁이라도 하는 것처럼 먼저 더 높게 그네를 띄우기 위해 발을 구르고 다리를 구부렸다 폈다. 정말 무슨 생각을 하는 건지 모르겠는 건 내가 아니라 해서 언니였다. 그래서 동정이 싫다는 건지 좋다는 건지. 새로운 선생님이 올 때마다 동정심이 들게 하는 말을 하고선 자신을 불쌍하게 여기는 사람들을 뒤에서 비웃는 언니의 진짜 마음은 뭘까. 해서 언니가 하는 말들이 내겐 어렵고 복잡해서 이해하기가 쉽지 않았다.

정해정 선생님은 해서 언니가 유일하게 상대하기 어려워하는 어른이었다. 이번에는 진짜로 엄마가 자신을 데려갈 거라고 했을 때도 정해정 선생님은 "그렇구나."라고 했을 뿐 별다른 말이 없었다. 해서 언니는 자신을 동정하는 사람은 비웃었지만 동정하지 않는 정해정 선생님은 미워했다. 자신을 동정하는 어른들에게는 능구렁이 같던 언니도 정해정 선생님 앞에서는 어쩔 줄 몰라 했다. 선생님은 책임을 중요하게 생각했지만 잘못을 했다고 다그치거나 혼내지는 않았다. 그저 이것이것이 잘못이라고 알려 주었고 우리는 그에 대한 책임을 배워야 했다. 같은 잘못을 반복해도 선생님은 몇 번이고 다시 알려 주었다. 설 언니와 솔 언니는 요령이 좋았다. 둘은 알려 주지 않아도 적응하는 법을 잘 알고 있었다. 정해정 선생님 시간에는 규칙을 지키며 자유를 누렸고 김선아 선생님 시간에는 다른 아이들이 된 것처럼 어리광을 부렸다.

정해정, 정해정! 이름도 정해정이야. 앞뒤로 꽉 막혔어! 해서 언니는 쌓아 온 분통을 터뜨렸다. 정해정 선생님과 해서 언니의 신경전이 한창이었다. 하지만 길게 끌어 봤자 해서 언니에게 좋을 것이 없다는 것이 나와 설, 솔 언니 모두의 의견이었다. 해서 언니는 김선아 선생님을 만나면 제멋대로 굴며 정해정 선생님과 지내느라 쌓였던 스트레스를 풀었다. 나는 해서 언니와 생각이 달랐다. 해야 할 일들을 모두 마치면 저녁을 먹기 전, 놀이터에 갈 수 있다는 게 정해정 선생님과 나의 약속이었는데, 정해정 선생님은 약속을 한 번도 어긴 적이 없었기 때문에 나는 김선아 선생님보다 정해정 선생님이 더 좋았다.

언젠가 놀이터에 주저앉아 모래를 파다가 눈물이 났던 적이 있다. 장난감 삽으로도 부드럽게 떠지는 모래가 슬프게 보였다. 그룹홈에서 지낸 지 일 년도 되지 않았을 무렵인데 컨테이너 앞 굳은 땅보다 아파트 앞 놀이터 모랫바닥에 더 익숙해졌다는 걸 깨달았다. 모래 때문에 속상한 게 아닌데 왜 모래 놀이를 하면서 눈물이 나는 걸까. 갑자기 복받치는 감정에 당황스러워 바닥만 뚫어져라 노려보았다. 방울방울 떨어져 내리는 눈물에 모래가 점점 어두운 갈색으로 젖어 들어갔다.

어린이집에 다녀야 한다는 말에 아무 생각 없이 선생님 손을 잡고 처음 간 날, 다들 나 같지는 않다는 걸 알게 되었다. 7세 반 선생님은 한글을 어려워하는 나에게 엄마에게 보여 드리라며 알림장에 무엇인가 적다가 갑자기 표정이 굳더니 미안하다고 말했다. 그런 일은 친구들과도 자주 있었다. 너희 집 놀러 가도 돼? 선생님한테 물어볼게. 왜 선생님한테 물어봐. 엄마한테 물어보면 되잖아. 한참을 설명해도 친구들은 잘 이해하지 못했다. 낯설었던 첫 만남이 지나고 서로에게 익숙해졌을 때부터 놀림이 시작되었다.

나를 지켜보고 있었던 걸까. 정해정 선생님이 달려와 괜찮냐며 나를 안고 달래 주었다. 나는 설, 솔 언니처럼 살가운 성격이 아니어서 어른에게 안긴 것은 그룹홈에 오고서 처음이었다. 규칙적인 토닥임에 나는 조금씩 진정되었다. 이상하게도 어린이집 선생님이 물어보았을 때는 나오지 않았던 말이 나왔다. 애들이 엄마랑 아빠 없다고, 집도 없고 그룹홈에 산다고 놀렸어요. 다시 울음이 터져 나왔다. 그런 일이 있었느냐며 많이 속상했겠다고 정해정 선생님은 울음을 그칠 때까지 내 등을 쓰다듬어 주었다. 선생님 어깨가 내 눈물, 콧물에 흠뻑 젖어서 옷소매로 젖은 어깨를 닦아 드리려고 하자 정해정 선생님은 괜찮다며 놀이 시간이 끝났으니 돌아가자고 했다. 다음 일정을 일러 주는 말이 너무 정해정 선생님다워서 웃음이 났다.

"너 정해정 오고서 변했어. 완전 정해정 편이지? 이 배신자."

"배신자가 뭔데?"

"와, 그것도 몰라? 배반할 때 배, 신뢰할 때 신. 신뢰를 배반한 사람이라고."

"일부러 나 못 알아듣게 말하는 거지?"

해서 언니도 아차 싶은 표정을 지었다.

"아이 씨, 다 한자네. 이걸 어떻게 설명하지……."

해서 언니는 미간에 주름까지 만들어 가면서 고민하더니 갑자기 생각이 난 듯 손뼉을 쳤다.

"아! 그럼 믿음을 안 지킨 사람. 이제 알겠지?"

같은 단어라도 사람마다 느끼는 무게는 다르다. 배신자라는 단어가 나에게 그랬다. 나에게 배신자는 아빠였다.

"나한테 배신은 친권을 포기하는 거야. 차라리 바보라고 해."

친권의 의미를 정확하게 알게 된 것은 나중의 일이었으나 그전에도 나는 사회 복지사 선생님께 들었던 친권이라는 단어를 종종 사용했다. 그럴 때면 딱히 슬픈 생각을 한 게 아닌데도 이상하게 눈물이 나곤 했다. 이번에도 나도 모르게 눈물이 차오르고 목소리까지 떨려 나왔다. 언니는 당황한 듯 어떤 말도 하지 못했다. 해서 언니가 당황한 만큼 나도 욱하고 치미는 감정이 당황스러웠다. 언니는 사과하지 않았다. 나는 해서 언니와는 단 한마디도 하지 않겠다고 결심했다.

"오늘도 말 안 했어?"

"너도 보통 아니다."

설과 솔 언니의 관심은 나와 해서 언니가 말을 했는지 안 했는지에 쏠렸다.

"사과 안 하면 평생 말 안 할 거야."

설과 솔 언니는 신나서 해서와 민서가 절교했다고 여기저기 소문을 퍼뜨렸다. 배신자는 아빠인데 괜히 해서 언니한테 화풀이하는 걸지도 모른다. 하지만 해서 언니도 정해정 선생님에 대한 화풀이를 나에게 한 것이니 공평했다. 게다가 해서 언니와 말을 하지 않은 날이 하루하루 늘어날 때마다 왠지 모를 뿌듯함이 마음 깊은 곳에서부터 차올라서 중간에 그만두기도 어려웠다. 해서 언니는 한 달 반 만에 못 견디고 백기를 들었다. 미안하다는 말과 함께 독한 년이라는 말은 보너스였다.

해서 언니에게는 엄마가 있었고 설과 솔 언니에게는 할머니와 아빠가 있었다.

"엄마, 아빠가 있는데 왜 여기서 살아?"

나에겐 아무도 없으니까 그룹홈에서 살 수밖에 없다. 갈 곳이 없으니까. 하지만 해서 언니와 설, 솔 언니는 매일 아빠와 엄마 이야기를 했고 가끔은 만나서 자고 오기도 했다. 그러면서도 그룹홈에서 지내는 게 이해가 되지 않았다.

"민서야, 그런 말 하는 거 아니야."

김선아 선생님이 당황하면서 나를 말렸다. 내가 또 말실수를 한 걸까. 오히려 솔 언니가 괜찮다는 듯 말했다.

"아빠는 술만 먹으면 할머니를 때렸어. 나는 그날 정말 할머니가 죽는 줄 알았어."

솔 언니는 그래서 설 언니가 아빠를 신고했다고 했다.

"우리는 맞지도 않았는데 아동 학대래. 그래서 쉼터에 가게 됐어."

설 언니는 할머니가 요양원으로 갔다고 했다.

"내가 잘못한 걸까. 아빠 보고 싶다."

설 언니는 신고하지 말걸, 하고 중얼거렸다. 그러자 솔 언니가 대꾸했다.

"네가 신고 안 했으면 할머니 죽었어. 근데 나도 아빠 보고 싶다."

설 언니와 솔 언니는 정말로 아빠에게 미안해하는 것처럼 보였다. 나는 이해가 되지 않아 되물었다.

"언니 아빠가 언니들을 버린 거잖아. 왜 언니들이 미안해야 해?"

"아빠는 우리 안 버렸어. 내가 신고한 거지."

"아니, 언니네 아빠가 잘못한 거잖아."

"할머니 때린 건 잘못했는데 우린 안 때렸다니까."

피아노 학원에서 배운 도돌이표처럼 대화가 빙글빙글 돌았다. 내가 참지 못하고 시작하면 다시 돌아와 원점이 되었다. 설언니는 내가 어릴 적에 자연스럽게 익혔어야 할 기본적인 자극이 부족한 탓이라며 전에 들었던 선생님 얘기를 흉내 내어 말했다. 솔 언니는 맞장구를 쳤다. 우리는 영영 서로를 이해할 수 없을 것 같았다. 며칠 전 일을 생각하면 더욱 그랬다. 그날 선생님이 당황했던 목소리가 귓가에 생생했다.

"이러시면 신고할 수밖에 없어요. 이럴 때마다 설이, 솔이도 얼마나 불안해하는지 아세요?"

방문은 닫혀 있었지만 오래된 아파트라 방 안에서 통화하는 소리가 거실까지 들렸다. 설 언니와 솔 언니는 책가방을 멘 채로 현관에 서서 짧아질 대로 짧아져 물어뜯을 것도 없는 엄지손톱을 잘근잘근 씹고 있었다. 둘은 미어캣처럼 베란다 쪽을 주시하고 있었다. 하지만 커튼으로 가려진 거실 베란다에서 바깥은 보이지 않았다. 그것은 바깥에서도 안을 볼 수 없다는 뜻이었다. 다행이었다. 아파트 밖에서는 깨지고 부서지는 소리가 났다.

"우리 애들 어딨어! 너 이름이 뭐야?"

밖에서 간헐적으로 남자의 고성이 들렸다. 그러면 방 안에서는 나지막한 목소리가 흘러나왔다.

"끊어? 너 찾으면 죽여 버릴 거야."

바깥에서 위협적인 남성의 고함이 들리면 방 안에서는 딱딱하게 굳은 김선아 선생님의 목소리가 새어 나왔다. 남성의 난동이 계속되자 방 안에서 신고하는 소리가 들렸다. 해서 언니는 이미 책가방을 거실 한복판에 벗어 던지고 소파에 길게 드러누워 핸드폰을 만지고 있었다. 오늘 등교는 포기한 듯했다. 미친놈. 언니가 중얼거리며 키득거렸다. 핸드폰을 감싸 쥔 언니의 엄지손가락이 액정 위를 분주히 움직였다. 해서 언니의 손이 핸드폰 화면에 닿을 때마다 검은색 글자가 만들어졌다. 지금 상황을 누군가에게 중계하는 듯했다. 손톱이 액정에 닿을 때마다 톡톡 하는 소리를 냈다.

핸드폰 화면에 뜨는 글자보다 해서 언니의 손가락이 더 빠른 것 같기도 했다. 글자와 손가락 중 경주의 승자는 손가락인 것 같았는데, 언니가 갑자기 짜증을 내며 핸드폰을 바닥에 깔린 카펫 위로 던졌다. 아 똥 폰. 와이파이는 왜 이 지랄이야. 해서 언니가 그러거나 말거나 설, 솔 언니들은 아직도 현관에 우두커니 서 있었다. 둘은 겁을 먹은 것 같기도 했고 아빠를 걱정하는 것 같기도 했다. 저러다 다칠까 봐, 아니면 누군가를 다치게 할까 봐. 오늘처럼 아빠가 찾아오지 않는 날에도 두 언니들은 늘 그런 걱정을 했다. 해서 언니와 설, 솔 언니 사이에 감정의 간극이 너무 멀어서 묘한 안정감을 주었다. 이런 일이 수없이 반복되는, 금방 지나갈 일상적인 상황처럼 느껴졌다. 아침잠이 부족했던지 해서 언니는 핸드폰을 내려놓고 졸기 시작했다. 나는 거실 바닥에 주저앉아 해서 언니가 누운 소파에 기대어 설, 솔 언니처럼 엄지손가락을 입에 물었다. 암막 커튼으로 가려진 거실은 오전 8시가 아니라 오후 8시 같았다. 영화를 감상하는 것처럼 모든 상황에 현실감이 없었다. 드디어 바깥에 경찰이 온 것 같았다. 다행히 다친 사람은 없다고 했다. 나중에 듣기로는 그는 칼을 들고 있었지만 술을 많이 마신 데다 아무도 찌르지 않았기 때문에 감옥에 가지는 않는다고 했다. 나는 이상하다고 했고 설, 솔 언니는 다행이라고 했다.

그 일이 있고 이 주 뒤에 해서 언니는 정말로 그룹홈을 떠나게 되었다. 해서 언니의 말대로 언니의 엄마는 언니를 데리고 갔다. 설, 솔 언니는 해서 언니를 부러워하면서도 그룹홈이 자신들 세상이 된 것에 기뻐했다. 하지만 얼마 지나지 않아 의기양양하게 떠났던 해서 언니가 다시 돌아온다는 소식이 들렸다. 설, 솔 언니는 잘난 척하더니 고소하다면서도 다시 해서 언니가 온다며 좌절했고, 나는 언니에게 어떤 위로의 말을 하면 좋을까 고민했다.

"아오, 짜증 나. 김해서가 뭐냐. 김해서가."

내가 준비한 위로의 말은 전할 새도 없었다. 해서 언니는 자신의 바뀐 성에만 몰두했다. 민해서는 그룹홈을 나간 지 삼 개월 만에 김해서가 되어 돌아왔다. 해서 언니의 친아빠는 민씨였는데 새아빠가 김씨여서 성이 바뀌었다고 했다. 이럴 줄 알았다면 성을 바꾸지 말걸. 자기 이름에는 김씨보다 민씨가 더 어울린다며 짜증을 냈다. 해서 언니의 레퍼토리에 이 내용이 추가되었다. 해서 언니는 싫어했지만, 나는 언니의 새로운 성이 좋았다. 윤설과 윤솔처럼 김해서, 김민서도 진짜 자매 같지 않은가. 이후에도 해서 언니는 크리스마스, 명절, 생일에는 집에 갔다. 하지만 더는 엄마가 자신을 집에 데리고 갈 거라는 말은 하지 않았다.

*

수원역에 있는 만화방은 해서 언니를 만나기로 할 때면 내가 선택하는 장소였다. 만화책 한 권을 다 읽고 내려놓았을 때, 해서 언니가 내가 앉은 소파 옆자리에 앉았다. 늦었지, 미안. 해서 언니는 만화책을 두세 권 정도 읽었을 때 도착하곤 했다. 한 권이면 빨리, 두 권이면 보통, 세 권째면 늦은 편이었다. 언니가 이 정도면 빨리 온 거지. 언니는 자연스럽게 내 어깨에 팔을 두르고 내 머리카락을 슬쩍 만지더니 자기 일하는 가게에 한번 오라고, 조금만 다듬어도 달라 보일 거라고 했다. 평소라면 해서 언

47

니의 직업병으로 치부했을 말이 오늘따라 지적처럼 들려서 나
는 대답하지 않고 말을 돌렸다. 무슨 일인데 만나서 해야 하는
말이래? 해서 언니는 어울리지 않게 주위를 둘러보며 눈치를
보더니 자리를 옮기자고 했다. 주말이 아닌데도 수원역엔 사람
이 많았다. 우리는 로데오 거리를 지나 오 분쯤 걸어서 골목 구
석에 있는 2층 카페로 들어갔다. 아이스 아메리카노 하나랑요,
언니는 바닐라 라테? 해서 언니는 당연히 아이스 바닐라 라테
를 시킬 거라고 생각했는데 오늘은 아니라고 했다. 음료는 가져
다 드릴게요. 해서 언니의 자몽 에이드를 마저 주문한 뒤 우리
는 2층에 남아 있는 테이블을 발견하곤 자리에 앉았다. 곧 자몽
에이드와 아이스 아메리카노가 나왔다. 언니는 빨대로 음료를
휘휘 저었다가 빨대를 잘근잘근 씹기도 하고 손가락을 한참을
꼼지락거리더니 쟁반에 담긴 냅킨을 여러 가닥으로 찢어서 수
북이 쌓아 놓았다. 뭐 하느냐는 질문에도 착실하게 냅킨을 찢고
쌓기를 반복하던 해서 언니가 갑자기 말을 내뱉었다.

"조금만 늦게 왔으면 이 자리도 없었겠다."

언니는 우리가 차지한 카페 2층의 마지막 자리가 마음에 든
것 같았다.

"그건 그렇고 뭔 말을 하려고 부른 거야."

나는 해서 언니가 쌓아 놓은 냅킨을 흘깃 보았다. 그전에는
밤에 일하고 낮에 잠을 자고 주말에도 일하느라 시간을 내기가

쉽지 않았다. 때마침 언니도 새로운 남자 친구가 생겨서 둘이 일정 맞추기가 어려웠는데 그마저도 해서 언니가 먼저 연락해 줘서 아는 정도였다.

"너 거기 일 그만뒀다며. 오래 일하더니 무슨 일 있었어?"

대화의 초점은 다시 나에게로 옮겨 왔다. 해서 언니는 아직 말을 하고 싶지 않은 것 같았다. 이럴 때면 언니는 종종 내가 피해 가려는 주제로 이야기를 돌리곤 했다.

"아니, 무슨 일은 아니고 그냥 아팠어. 밤낮 바뀌어 일하니까 체력이 못 버티더라. 근데 나 선아 쌤한테 전화 왔었어."

"김선아? 뭔 일이래? 나한텐 아무 연락도 없는데."

"그 사람 죽었다고 연락 온 거야."

"그 사람? 헐, 너희 아빠? 야, 대박. 너 그래서 갔어?"

"응. 부산 갔다 왔어. 무연고 장례였는데 나한테까지 연락이 온 게 더 신기했어."

해서 언니는 다시 빨대를 잘근잘근 씹다가 물었다. 투명한 빨대로 붉은 자몽 에이드가 쭉 빨려 올라간다.

그 사람은 살아 있을까? 자연스럽게 해서 언니의 '그 사람'에 대한 이야기가 시작되었다.

"사실 나는 우리 엄마한테는 아무 감정도 없는데 그 사람은 미워. 그 사람이 나랑 엄마를 안 버렸으면 나도 평범한 가정에서 자랄 수 있지 않았을까."

"무슨 소리야. 언니 엄마도 진짜 이상해."

정확히 말해서 이상하기보다는 나쁜 사람이었다. 내 생각에 해서 언니는 한번 떠나서 돌아오지 않은 아빠보다 주변에 머무르며 상처 주는 엄마를 더 미워해야 하는 게 맞는다. 나는 기억에도 없는 엄마보다는 아빠가 더 싫었다. 애초에 미워할 대상을 알아야 미워할 게 아닌가.

"네 얘기 들으니깐 내 얘기는 아무것도 아닌 것 같네. 나 임신했어. 3개월이래."

해서 언니는 내 얘기를 듣고 오히려 마음이 편해진 것처럼 자기 일을 말했다. 임신이라는 말에 나는 반사적으로 언니의 배를 확인했다. 눈으로 봐서는 잘 모르겠지만 아랫배를 사랑스럽다는 듯 쓰다듬는 언니의 손길이 해서 언니를 임산부처럼 보이게 했다.

"헐, 임신? 그 남자 만난 거 아직 일 년도 안 됐잖아."

"뭘 그렇게 놀라고 그래. 결혼할 것 같다고 했잖아. 이번엔 진짜야."

해서 언니는 매번 새로운 남자를 만날 때마다 이번에야말로 정말 결혼할 사람이라고 했었다. 결말은 늘 아니었지만. 그룹홈에서 해서 언니를 처음 만났을 때부터 언니의 소원은 결혼하고 아이를 낳아 가정을 이루는 것이었다.

"행복한 가정을 이루는 게 내 소원인 거 알잖아. 난 엄마처럼 살기 싫어."

나도 해서 언니의 마음이 어떤 건지 알았다. 나도 아빠처럼 살고 싶지 않았다. 그래서 결혼도 하지 않고 아이도 낳지 않겠다고 마음먹었다. 이런 인생은 나 하나면 충분했다. 나와는 반대로, 해서 언니는 불에 달려드는 불나방처럼 쉬지 않고 남자들을 만나며 결혼을 꿈꿨다. 헤어지면 또 다른 남자가 그 자리를 채웠다. 나는 언니가 어리석다고 생각하면서도 부러웠다. 해서 언니는 자신이 엄마와는 다른 결과를 만들어 낼 수 있다고 믿는 것 같았다. 언니는 일단 남자 친구와 집부터 합치고 아이를 낳겠다고 했다. 계획은 없지만 일은 벌어졌으니 수습한다는 식이었다. 어떻게든 되겠지. 나도 어떻게든 컸잖아. 무엇이 해서 언니를 자신하게 하는 걸까. 어떻게든 큰다는 것은 하나도 기쁘지 않다. 발버둥 쳐 봐야 소용없는 것을 매 순간 도망치면서 알게 된다. 나는 아무 말 없이 앞으로의 계획을 말하는 해서 언니를 바라보았다. 나는 아빠와 닮지 않기 위해 아빠가 해 온 모든 것들을 하지 않기로 했다. 내가 살려면 아빠와는 최대한 멀어져야 했으니까. 나는 그런 나와는 반대의 선택을 한 해서 언니에게 차마 입에서 떨어지지 않는 말을 뱉었다.

"임신 축하해."

3장

임신. 전혀 기쁘게 들리지 않는 단어다.

"축하해."

임신. 축하해. 여러 번 소리를 내 함께 발음해 보아도 둘은 잘 붙지 않았다. 환하게 웃으며 임신 소식을 전하는 해서 언니 앞에서 나는 언젠가 티브이에서 봤던 장면을 흉내 내었다. 왜 그랬는지는 모르겠지만 언니의 환한 웃음을 보자 그러고 말았다. 티브이 속 연예인이 짓던 표정까지 미처 따라 할 수는 없었다. 뒤늦게 해서 언니의 표정을 따라 해 보았지만 입꼬리가 고장 난 듯 바르르 떨리며 올라가지 않았다.

우리를 둘러싼 환경은 같았으나 해서 언니는 변했다. 나는 그런 언니의 변화가 궁금했고 우리는 더 자주 만나게 되었다.

수원역의 만화방이 아니라 인계동에 새로 생긴 여성 전문 병원으로 약속 장소도 바뀌었다. 건물 전면이 유리로 되어 있는 새 건물이었다. 해서 언니는 이 병원이 수원에서 가장 큰 규모의 산부인과라고 했다. 원래도 병원이라는 곳이 낯설긴 했지만 언니를 따라 산부인과에 오는 일은 좀처럼 익숙해지지 않았다. 먼저 온 해서 언니가 병원 앞에서 나를 기다리고 있었다. 언니의 시선이 나의 머리카락에 머물다 떨어진다.

"진짜 우리 가게 한번 와. 헤어스타일만 바뀌어도 정말 사람이 달라 보인다니까."

내가 답이 없자, 해서 언니는 같이 병원 와 주는 게 고마워서 그래 하고 말했다. 임신 6개월 차가 된 언니의 배가 제법 불렀다. 이제 그 속에 작은 아기가 웅크리고 있다는 것이 실감 났다. 삼 개월간 임신인 줄 몰랐던 언니는 의사 선생님한테 혼이 났다고 했다. 소위 선생이란 사람 앞에서 네네 하며 말 잘 듣는 학생처럼 앉아 있었던 경험은 처음이라며 엄마란 이런 걸까 하고 웃었다. 임신 사실을 알고 나서 해서 언니는 술과 담배를 끊었다. 언젠가는 밤늦게 전화를 해서 아기가 잘못되면 어쩌냐고 삼 개월동안 술을 먹고 담배를 피웠던 걸 불안해하며 눈물을 보이기도 했다.

"요즘 아기 아빠가 연락이 안 돼."

"병원도 같이 안 오는 새끼가 연락도 안 해? 나쁜 놈이네. 뭐

55

야, 왜 울어?"

아까 전부터 초조하게 핸드폰을 만져 대던 해서 언니의 행동이 이해가 되었다. 얼굴도 모르는 언니의 남자 친구에게 괜히 내가 더 화가 나는 것 같았다.

"어 연락 왔다! 나 주려고 꽃 샀대. 이따가 보재. 히히. 우리 완벽이는 좋겠다. 착한 이모도 있고, 좋은 아빠도 있고."

해서 언니가 바보같이 웃었다. 신이 나서 속도 없이 웃는 언니를 보니 조금 전까지 욕하고 화를 내던 내가 바보 같이 느껴졌다. 해서 언니는 아기의 태명이 완벽이라고 했다. 자기가 태몽을 꿨는데 예쁜 구슬을 줍는 꿈이었다나. 완전한 구슬이라는 뜻이라며 '완벽'이라고 했다. 그리고 스스로 다짐하듯 작은 목소리로 완벽한 가정에서 행복하게 키울 거야 하고 읊조렸다. 야, 지금 완벽이가 대답했어. 방금 발로 찼다고! 너도 한번 만져봐. 진짜라니까. 언니는 나에게 증명이라도 하고 싶었는지 내 손을 끌어다가 자기 배 위에 올려놓았다. 나는 해서 언니가 낚아챈 내 손을 휙 잡아 뺐다.

"뭐가 느껴진다고 그래. 울다가 웃다가 하는 것도 금단 증상이야?"

"야, 그런 소리 하지도 마라. 임신은 금단 증상이랑 비교도 안 돼. 완전 죽을 맛이야. 엄마가 그냥 되는 건 아닌 거 같아. 쓸데없는 생각만 많아지고……."

정색까지 하면서 말하던 해서 언니의 눈시울이 갑자기 붉어진다. 나는 요즘 들어 시도 때도 없이 붉어지는 언니의 눈가를 무시하곤 말했다.

"그래, 맞아. 엄마가 그냥 되는 건 아니지. 벌써 들어간 돈이 얼마야. 하는 검사마다 다 돈이네."

"김해서 님. 들어오세요."

해서 언니가 네라고 대답하며 진료실 안으로 들어갔다. 언니가 두고 간 핸드폰을 주워 가방에 챙겨 넣는데 화면에 '최성아'라는 낯익은 이름과 함께 진동이 울렸다.

*

해서 언니는 돈을 벌겠다며 미용고에 진학했다. 우리는 만 18세가 되면 그룹홈에서 나가야 했는데 미용고는 졸업과 동시에 취업이 가능한 좋은 선택지였다. 그런 선택지는 많지 않았기 때문에 선생님들은 해서 언니를 모범 사례라고 불렀다. 해서 언니가 퇴소하고 얼마 안 되어 정해정 선생님이 그만두었다. 그렇게 슬프진 않았지만 자주 물어뜯는 손톱이 점점 더 짧아지고 있었다. 너도 곧 고등학교 진학하니까 슬슬 진로에 대해 생각해야지. 새로 온 사회 복지사인 최성아 선생님은 나 같은 아이들을 아주 많이 보았다고 했다. 저는 대학에 가고 싶어요. 선생님의 표정이 굳어졌다. 사실 나는 초등학교 4학년이 되고부터 학교 수업을 따라갈 수 없었다. 또래 아이들보다 어휘력이 부족했기 때문에 수업을 들을 때 선생님이 사용하는 말들을 쉬이 이해하기가 어려웠다. 학습지로 배운 수학도 글이 많은 문제는 잘 풀지 못했다. 학교에서는 내가 수업을 이해하지 못한다고, 지능 검사를 받을 것을 권유했다. 나는 학교에 연계된 사설 센터에서 지능 검사를 받았다. 검사 결과, 상식이 부족한 평균 하 정도의 수준이었다. 하지만 도움 반에 갈 정도는 아니어서 일반 학급에서 수업을 들어야 했다. 그룹홈에서는 나를 개인 지도할 대학생 자원봉사자를 붙여 주었는데 그때뿐이었다. 자원봉사자는 자주 바뀌는 데다 봉사자들이 나를 답답해하는 게 느껴져서 공부에 흥미를 갖기는 어려웠다. 반에서 공부도 제일 못하고 말귀도 못 알아듣는 나는 친구들 사이에서 별로 인기가 없었다. 그래서 나는 모둠이나 짝을 지어 하는 수업이 제일 싫었다. 마지막까지 선택받지 못하고 남아서 나와 짝꿍이 된 아이의 속상해하는 얼굴을 볼 때가 제일 고역이었다. 미술 수업은 좋았다. 미술 시간에는 나나 다른 애들이 별 차이가 없게 느껴졌다. 망쳤다고 징징거리는 짝꿍을 도와준 적이 있었는데 그때 그 애가 선생님 같다고 해 준 말이 나의 꿈이 되었다.

최성아 선생님은 해서 언니를 만난 적도 없으면서 해서 언니에 대한 얘기를 자주 했다. 선생님이 그룹홈에 들어온 지 얼마 안 됐을 때, 개별적으로 진로 상담을 시작했다. 청소년기 그룹홈 아이들에게 진로 상담은 필수라는 게 이유였다. 작은방에 마주 앉아 최성아 선생님은 내게 꿈이 뭔지, 어른이 돼서 하고 싶은 일이 무엇인지 물었다.

"미술 선생님이 되고 싶어요."

먼저 물어본 건 자기면서 선생님은 내 대답을 듣고는 정말 답답하다는 표정으로 말했다.

"지금 성적에 미술 선생님은 어렵지. 민서야, 현실적으로 생각해 보자. 미술을 좋아한다고 다 미술 선생님이 되는 건 아니야. 그리고 미술 선생님이 되려면 국어랑 수학도 잘해야 해."

"미술 선생님이 될 건데 왜 국어랑 수학도 잘해야 해요?"

대학에 가면 그룹홈에도 더 있을 수 있다고 들었다. 그룹홈에 머무는 동안 학비를 지원받을 수 있다고 했고 아르바이트를 하면 용돈 정도는 벌 수 있을 것이었다.

"냉정하게 들리겠지만 넌 설, 솔이처럼 돌아갈 집도 없잖아. 19살에 나가서 살 방법을 생각해야지. 해서 언니처럼 미용고에 가는 게 졸업 시기도 맞고 취업처도 많고. 그게 제일 좋은 방법인 것 같아."

최성아 선생님은 나의 장래를 걱정하며 미용도 미술의 한가지라며 미용고 진학을 적극 추천했다. 경제적으로 독립하고 나면 미술은 취미로 얼마든지 할 수 있을 거라며 나를 설득했다.

최성아 선생님 말대로 나는 대학에 가지 못했다. 그렇다고 미용고에 가지도 않았다. 인문계 고등학교에 진학했지만 생각보다 성적은 잘 나오지 않았다. 아무에게도 말한 적은 없지만 부모가 있고 성적도 잘 나오는 아이들과 한 공간에서 지내는 게 싫었다. 김선아 선생님은 위탁 과정이 있어 대학을 가지 않더라도 여러 자격증을 취득할 수 있다고 나를 격려했다. 나는 그런 이야기를 듣고 싶지 않았고 어떤 것도 하고 싶지 않았다. 자퇴하고 싶었지만 최성아 선생님과 김선아 선생님 둘 다 고3까지는 마치라고, 지금 이렇게 그만두면 중졸이라며 나를 말렸다. 대학도 안 갈 건데 고등학교 졸업장이 왜 필요해요. 선생님들은 지금까지 공부를 잘하지는 못했어도 학교는 성실하게 다녔던 애가 왜 갑자기 이러느냐고 당황했다. 하지만 어떤 것도 의미가 없게 느껴졌고 이런 변화에 당황스러운 건 나도 마찬가지였다.

어느 날부터인가 자퇴하겠다고 선생님들과 실랑이하는 것조차 귀찮아졌다. 나는 학교 가는 길에 있는 공원 벤치에 앉아 하염없이 시간을 보냈다. 최성아 선생님에게 많이 혼나고 난 다음 날엔 학교에 갔다. 책상에 종일 엎드려 있어도 뭐라 하거나 말을 거는 사람은 없어서 편했지만 반복되는 하루하루가 지겨웠다. 학교에서 그룹홈으로 연락이 온 후 얼마 안 가 사회 복지사 선생님들 손에 이끌려 병원에 가게 되었다. 몇 가지 테스트를 하고 의사와 상담 후 우울증 진단을 받았다. 검사 결과, 버려지는 것에 대한 유기 불안이 기본적으로 내재되어 있고 그로 인한 무기력증이 심각한 상태라고 했다. 담당 의사는 자라면서 중요한 관계를 맺는 데 어려움이 있을 수 있으니 지금이라도 안전한 관계 안에서 일관성 있는 지지와 수용을 경험하는 게 필요하다는 말을 덧붙였다. 고등학교 진학과 동시에 애착 관계였던 정해정 선생님과 해서, 설, 솔 언니가 비슷한 시기에 그룹홈을 떠나면서 생긴 환경 변화가 원인인 것 같다고 했다. 병원에서는 내가 어린 시절 유기 경험을 겪은 데다가 우울증 증상이 겹치면서 인지적인 면이 또래보다 좀 느리게 작동하는 것 같으니 약물 치료와 함께 다른 여러 가지 치료를 병행할 것을 권했다. 선생님들은 평소에 무덤덤한 데다가 감정 표현이 적고 딱히 큰 사고를 친 적이 없는 내가 약물 치료에 학습 치료와 심리 치료까지 받아야 한다는 진단에 의아하다는 반응을 보였다. 나는 심리 치료를 거부했다. 대신에 학습 치료와 약물 치료는 꾸준히 받기로 약속했다. 잦은 무단결석과 병결에도 최성아 선생님과 김선아 선생님의 노력 덕분에 나는 최소 수업 일수를 채워 무사히 고등학교를 졸업할 수 있었다. 선생님들은 진심으로 기뻐하며 축하해 주었다.

*

    오랜만에 본 최성아라는 이름 때문일까. 예전 일들이 꼬리에 꼬리를 물고 떠올랐다. 안 받으려고 했는데 길게 울리던 전화벨이 끊어지고 나서 한 번 더, 그리고 세 번째 울렸다. 아빠의 부고를 받았을 때처럼 그런 일은 아닐까 갑자기 초조해져서 급하게 전화를 받았다.

    "해서니, 왜 이렇게 통화하는 게 힘들어."

    "민서예요. 해서 언니랑 같이 산부인과 왔어요."

    "어, 민서구나. 산부인과는 둘이 무슨 일로……."

    "모르셨어요? 해서 언니 임신 6개월이래요."

    "아…… 그래? 근데 해서가 결혼은 했니?"

    "아니요. 결혼은 나중에 할 거래요."

    한참 뜸을 들이던 선생님의 목소리가 조금 작아졌다. 그리고 이어진 축하한다는 말이 어색하게 들려서 최성아 선생님도 내가 그랬던 것처럼 연기를 하고 있는 건 아닐까 하는 생각이 들었다.

    "아…… 그랬구나. 축하할 일이네. 혹시 도움이 필요하면 선생님한테 연락하라고 해. 해서가 연락이 잘 안 돼서 도움이 필요한데도 말을 못 할까 봐 걱정돼서 그래."

    그건 선생님한테나 그렇겠죠. 나는 알겠다는 말로 선생님의 말을 끊고는 전화한 이유를 물었다.

"근데 무슨 일이세요? 전화를 세 번이나 하시고."

"아 맞아. 그래, 놀라서 할 말도 잊었네. 너도 아직 일한다 했지, 김 선생님한테 들었어. 작년에 해 줬던 설문 조사 있잖아. 올해도 좀 부탁할게. 우리 그룹홈 퇴소해서 꾸준히 일하고 있는 게 너희들밖에 없어서 자꾸 부탁하게 된다. 그 점은 정말 대견하게 생각하고 있어."

"설문 조사 때문에 전화하셨구나……. 알겠어요."

"그래, 고맙다. 해서한테도 좀 부탁한다고 전해 줘."

"네, 그럼 끊을게요."

마침 해서 언니가 진료를 보고 나왔다. 밝은 표정을 보니 오늘은 별말을 듣지 않은 것 같았다. 큰 병원이라 의사도 많을 텐데 왜 굳이 혼내는 선생님을 선택한 건지 이해가 가지 않았지만 해서 언니는 그 의사를 고집했다.

"초음파 봤는데 아기 몸이 다 생겨서 움직이는 거 있지. 너도 같이 봤어야 했는데. 사진도 준대. 이따가 보여 줄게. 진짜 신기해. 아까 보고 눈물 나는 줄 알았잖아."

벅차서 완벽이에 대해 떠들던 해서 언니의 눈빛이 순간 쓸쓸해진다. 언니의 시선이 닿은 곳에는 부부로 보이는 젊은 남녀가 간호사를 따라 진료실 앞의 벤치로 안내받고 있었다. 자연스럽게 그들의 시선도 우리에게 닿았다. 나는 고개를 돌려 다시 해서 언니를 보았다.

"최성아 선생님한테 전화 와서 받았어."

"그걸 네가 왜 받아?"

들떴던 언니의 목소리가 낮게 깔린다. 날 선 해서 언니의 목소리에 나도 기분이 상했지만 일단 변명을 했다.

"왜 짜증을 내. 나도 안 받으려고 했지. 근데 세 번이나 계속 전화 오니깐 무슨 일 있나 해서."

"야, 너 나 임신한 것도 말했지."

"어떻게 알았어? 말하면 안 돼?"

"아, 김민서 진짜 짜증 나."

해서 언니를 불렀던 간호사가 다시 나와서 내 이름을 불렀다.

"김민서 님, 들어오세요."

당연히 옆에 앉은 커플을 부르리라 생각했는데 생각지도 못한 내 이름이 불리니 얼떨떨했다.

"저요? 내가 왜 들어가?"

간호사에게 되묻고 고개를 돌려 해서 언니에게도 물었다. 최성아 선생님에 관한 이야기로 잔뜩 짜증이 났던 언니의 얼굴이 뭔가 통쾌한 표정이 되었다.

"아까 나 접수하면서 같이 접수했어. 일단 들어가. 같이 들어가 줄까?"

간호사의 호명을 받고도 해서 언니와 실랑이를 벌이고 있는 나에게 주위의 시선이 모였다. 귓불이 달아올랐다.

언니에게 떠밀려 들어간 진료실에는 흰 가운을 입은 의사가 커다란 흰색 책상 너머에 앉아 있었다. 산부인과 전문의라고 쓰인 아크릴 재질의 검정 명패가 흰색 조명 아래서 반질거리며 빛을 냈다. 해서 언니를 자주 혼낸다던 의사는 생각보다 나이가 있어 보였고 그렇게 무서운 인상은 아니었다. 간호사는 문 앞에서 우물쭈물하고 있던 나를 책상 옆 등받이 없는 작은 의자로 안내하더니 진료실 밖으로 나갔다. 모니터 옆에 놓인 액자에는 내 또래로 보이는 여자가 학사모를 쓴 채로 밝게 웃고 있었다.

"어디가 불편해서 왔어요?"

마우스 위에 포개진 의사의 손이 잘 정돈된 책상 위를 움직이며 딸깍하는 소리를 내었다. 고요한 진료실 안에서 마우스 소리가 유난히 크게 울리는 것 같았다. 어디가 불편해서 온 건 아닌데 뭐라고 답해야 할까. 긴장되었다. 괜히 손가락을 꼼지락대며 눈동자만 좌우로 굴리자 의사가 다시 말을 걸었다.

"해서 씨에게 간단하게는 들었어요. 오랫동안 무월경이라면서요."

"저는 다 괜찮고 아픈 데 없어요. 오늘도 언니가 마음대로 접수한 거예요."

의사는 잠시 말이 없었다. 이럴 줄 알았으면 해서 언니와 같이 들어올걸. 네, 아니요가 답이 아닌 질문들은 늘 어려웠다. 나는 작게 한숨을 내쉬었다. 의사가 또다시 질문했다.

"생리가 오랫동안 없었다고 하던데 초경은 언제였어요?"

"초경은 고1 때였어요. 그때 드문드문 하다가 20살 넘어서 한 번 했나, 그러고 안 했을 거예요."

초경이 늦는 바람에 그룹홈 선생님들도 걱정했었다. 그때도 병원에 갔었는데 치료를 받으면서도 생리가 불규칙했어서 나는 병원 진료에 회의적이었다. 생리를 안 하면 몸도 편하고 돈도 덜 드니까. 나는 의사에게 한 말을 곱씹었다. 옳은 답이었을까. 그러다가 그룹홈에서 나오고 생리를 하지 않게 된 사실이 떠올랐다. 이런 얘기도 해야 하는 걸까. 살짝 묻었던 것도 생리했다고 쳐야 하는 건가. 계속되는 의사의 질문에 머리가 새하얘지는 것 같았다. 또다시 의사의 질문이 이어졌다.

"초경이 좀 늦었네요. 그래서 마지막 생리는 언제였어요?"

"한참 돼서 기억은 잘 안 나는데 아마 삼 년 정도 지났을걸요."

"지금은 괜찮아도 무월경을 방치하면 조기 폐경이나 불임이 될 수도 있어요."

"저는 애 안 낳을 거라서 상관없어요."

괜히 눈치가 보여 생리는 안 하는 게 더 편하고 돈도 덜 든다는 뒷말은 하지 않았다. 마우스의 딸각거림이 잠시 멈추었다.

의사는 시선을 돌려 나를 보았다가 이내 모니터로 시선을 돌리며 말했다.

"요즘 젊은 사람들이 많이들 그렇게 말해요. 그런데 생리 불순이 조기 폐경이나 불임이 아니더라도 다른 큰 병으로 이어질 수 있어요. 오늘 검사받고 이틀 후에 꼭 와요."

내가 뭔가 잘못 말했을까. 적절히 치료받지 않았을 때 걸릴 수 있는 무시무시한 병명을 잔뜩 듣고, 간호사의 안내에 따라 생각지도 못하게 피까지 뽑고, 이틀 후에 꼭 검사 결과를 들으러 오라는 신신당부까지 받고서야 병원을 나설 수 있었다. 벌써 점심 먹을 시간이 훌쩍 지나 있었다.

"갑자기 왜 쓸데없는 짓이야? 뭔데 아침부터 부르나 했어. 내 주민 등록 번호는 또 어떻게 알고 있었던 거야. 진짜 짜증 나."

"원래 알고 있었어. 우리가 얼마나 오래 같이 살았는데 그것도 모를까 봐."

병원 밖으로 나오자마자 참았던 짜증을 내는 나의 말을 대수롭지 않게 흘려들은 해서 언니가 너도 최성아한테 쓸데없는 소리 했지 않느냐며, 그건 그렇고 배고프니 밥이나 먹으러 가자고 했다. 아침부터 검사한다고 공복에 피까지 뽑아서 머리도 어지러운 것 같았다.

"나는 그냥 집에 갈래."

해서 언니는 친밀한 척 팔짱까지 끼고서 조르듯이 내 팔을 당

기며 좌우로 흔들었다.

"그러지 말고 같이 밥 먹자. 의사 선생님이 뭐라고 했는지 알려 줘. 최성아랑 무슨 얘기 했는지도 궁금하고 우리 완벽이 밥 먹을 시간이란 말이야."

"진짜 힘들어. 다음에 먹자."

"당 떨어져서 그래. 밥 먹으면 다 괜찮아져."

해서 언니는 나의 불규칙한 식생활에 대해서도 한마디 덧붙였다.

"선생님이 그러는데 너 생리 안 하는 거 밥 제대로 안 먹는 게 이유가 될 수도 있대."

언니는 밤낮이 바뀐 생활도 건강에 좋지 않았을 거라며 전집은 그만둔 게 잘됐다고 말을 이었다. 언제부터 건강을 챙겼다고 저렇게 잔소리를 하는 걸까. 나는 해서 언니의 말을 자르며 말했다. 같이 밥 먹으면 되잖아. 됐지. 확답을 받고서야 해서 언니는 잔소리를 멈추고 언제 찾아 놓은 건지 미리 검색한 맛집 링크를 나에게 보냈다.

해서 언니와 나는 병원을 나와서 조금 걸었다. 날씨가 좋아서 나는 집에 돌아가지 않길 잘했다는 생각이 들었다. 내가 처음 밤에 하는 일을 시작했을 때는 해서 언니와 근무 시간도 정반대인 데다가 휴일까지 달라 서로 만날 시간을 정하는 게 쉽지 않았다. 언니는 오전 10시부터 오후 9시까지 일을 했고 일요일에 쉬었다. 해서 언니는 출퇴근 거리가 늘어나더라도 일요일에 쉬는 게 자신에게는 더 중요하다고 했다. 공휴일에는 둘 다 바빴다. 공휴일을 보내고 나면 이번 빨간 날에는 누가 더 얼마나 바쁘고 힘들었는지 떠들기도 했다. 화요일 저녁 9시 반이 언니와 내가 만날 수 있는 거의 유일한 시간이었다. 해서 언니는 주말에 무엇을 하는지 늘 바빴지만 화요일 저녁에는 한가했기 때문에 내가 일요일에 쉬었더라도 주말에 만날 일은 별로 없었을 것 같다. 고개를 들어 하늘을 보았다. 구름 한 점 없는 하늘이 파랗다. 눈이 부셔 얼굴 위로 뻗은 손바닥 위로 따뜻한 햇볕이 내려앉았다. 저녁에 일하는 사람과 낮에 일하는 사람은 모두 햇빛이 부족하다는 점에서 같다. 피부에 닿는 햇빛에 기분이 좋았다. 해서 언니도 맑고 따뜻한 날씨에 기분이 좋았는지 들뜬 목소리로 말을 걸었다.

"낮에 돌아다니는 것도 진짜 오랜만이네."

"그러게. 어렸을 땐 학교 같이 갔잖아."

나는 아침에 눈 뜨는 게 힘들어서 준비가 늦는 바람에 자주 혼이 났다. 분명 힘들었는데 지금에 와서 떠올리니 해서 언니와 등하교 한 건 좋은 기억으로 남았다. 따뜻한 바람이 불었다.

"밤에 일하는 게 편해서 낮이 싫은 줄 알았는데 아닌가 봐."

"일하는 게 싫은 거지. 노는 건 낮이든 밤이든 좋은 게 당연하잖아."

"그런가."

"수원역은 왜 싫은 거야? 아니면 따로 가고 싶은 데가 있어?"

나는 잠깐 해서 언니의 얼굴을 바라봤다가 곧바로 고개를 숙이고 손만 만지작거렸다. 둘이 만나면 메뉴를 고르는 건 늘 언니였다. 나는 무엇을 먹든 상관이 없었고 해서 언니가 고르는 곳은 대체로 먹을 만했다. 미리 검색해서 평점이 높고 리뷰가 많은 식당을 고르는 것 같았다. 언니는 사진에 예쁘게 나올 만한 메뉴와 식당, 카페를 좋아했다. 해서 언니와의 만남은 언니의 인스타그램에 기록되었다. 늘 제안을 한 건 해서 언니였고 수락하는 것은 내 몫이었다.

"딱히 가고 싶은 곳은 없는데 수원역은 싫어."

다짜고짜 수원역은 싫다는 내 말에 언니는 내 얼굴을 조용히 그리고 찬찬히 들여다보았다.

"몸이 안 좋아서 그만둔 거라더니 너 무슨 일 있었구나?"

해서 언니의 제안을 거절한 건 처음이라 언니가 나의 상태를 평소와는 다르다고 여기는 것 같았다. 나는 해서 언니의 관심 어린 말에 눈물이 나올 것 같아 괜히 시선을 피하며 대답하지 않았다. 대신 전에 언니가 했던 말을 떠올렸다. 나는 아무렇지 않은 목소리로 툭 내뱉었다.

"수원역은 더러워서 싫다며. 화성 행궁에 새로 생긴 음식점

가고 싶다고 했었잖아."

해서 언니는 손뼉까지 치면서 좋아했다.

"너 완전 기억력 좋다! 난 내가 말하고도 잊고 있었거든."

언니는 자신이 전에 했던 말을 내가 기억하는 것을 좋아했다. 예전에 꽤 오래 친했던 친구가 자신의 말을 기억하지 못했다며 화를 내다가 나중에는 연락까지 끊었던 적이 있다고 했다. 자신이 한 말을 기억해 주는 걸 사랑받는다고 생각하는 것 같았다. 자주 바뀌었던 남자 친구들과도 자기 말을 잘 들어 주지 않는다는 이유로 헤어졌던 걸 보면 정말로 그랬다. 해서 언니는 빨리 행궁동 가서 밥을 먹자며 신이 났다. 언니가 춥고 배고프니까 급한 대로 택시를 타자고 해서 우리는 택시 정류장 방향으로 걸었다. 언니는 해서, 민서, 완벽이까지 셋이서 타는 거니까 각자 버스를 타는 것보다 이득이라는 이상한 셈까지 해 가며, 택시 안에서 식당을 찾을 테니 먹고 싶은 게 있는지 내게 물었다. 나는 여느 때처럼 알아서 하라고 대답한 채 택시 정류장에 정차하고 있는 택시 쪽으로 시선을 돌렸다.

해서 언니는 택시에 올라타자마자 인스타그램을 켰다. 언니의 계정에는 다양한 헤어스타일 사진과 예쁜 음식 사진들이 올라와 있었다.

"어, 이거 애시 핑크네."

"애시 핑크도 알아? 관심 있으면 말을 하지. 완벽이 낳을 때까지 일 좀 쉬려고 하는데 쉬기 전에 한번 와. 해 줄게."

"이런 색은 관리하기 힘들다며."

"옴브레 염색하면 애시 핑크로 염색해도 뿌염 안 해도 돼. 이것도 예쁘지?"

해서 언니는 신나서 자기 인스타그램에 있는 여러 가지 헤어 스타일을 보여 주며 설명했다. 대부분은 생소하고 알아들을 수 없었지만 해서 언니와 처음으로 이런 대화를 한 것 같아 뿌듯했다.

"여기 진짜 예쁘지."

인스타그램에는 해서 언니가 가려는 식당의 내부 사진과 예쁜 음식 사진들이 많이 올라와 있었다. '좋아요'와 댓글 수가 많은 걸 보니 인기가 많은 식당인 것 같았다.

"이거 맛있겠네."

예쁜 그릇에 놓인 유독 두툼한 스테이크가 먹음직스러워 보였다. 해서 언니는 내가 말한 메뉴 사진을 누르고 게시물을 자세히 살펴보았다.

"이게 여기 인기 메뉴인가 봐."

"파스타도 맛있겠다. 배고파. 면 먹고 싶어."

"그럼 이거랑 이거 먹을까? 아 너무 좋아. 신난다."

언니와 음식 사진을 구경하다 보니 생각보다 금방 행궁동에 도착한 것 같았다. 해서 언니는 아직 맛집을 덜 찾았다며 아쉬워하면서 택시비를 계산했다.

"아직 밥 먹고 갈 카페는 못 정했는데……."

"메뉴 주문하고 기다리면서 찾으면 되지."

나는 지도를 보고 안내하는 언니를 따라 식당 쪽으로 걸어갔다.

예약 안 해서 못 들어간대. 해서 언니가 속상함에 우는 소리를 냈다. 예약하지 않은 우리는 레스토랑에 들어갈 수 없었다. 설마 평일 주중에 예약 안 했다고 우리 둘 밥 먹을 곳 하나 없겠느냐며 다른 식당에도 전화해 보았지만, 예약 없이 당일 식사가 가능한 곳은 없었다.

"돈을 준다는데 갈 수 있는 식당이 없다고? 장사할 생각이 있는 거야?"

야속하게도 거리의 식당은 손님으로 가득 차 있었고 빈 테이블에도 예약석이라는 표시가 있었다. 빈자리가 보여 들어가면 그곳도 예약된 좌석이라는 말이 돌아왔다. 어디에도 우리 자리는 없어 보였다. 해서 언니는 그 자리에 서서 행궁동 레스토랑을 모두 찾을 기세로 검색을 하기 시작했다. 행궁동에 꼭 오고 싶었던 것도 아닌데 수원역을 피하려다가 언니에게 피해를 주는 것 같았다. 해서 언니의 부푼 배가 무거워 보였다. 나도 언니의 옆에 서서 블로그를 검색했다. 운 좋게 예약 없이 식사를 할 수 있다는 식당을 찾아 전화 걸어 보았지만 자리가 다 찼다는 말만 돌아왔다. 해서 언니는 인스타그램을 한참을 찾고 또 찾은 후에야 체념했다.

우리는 한참을 서 있다가, 주변에 괜찮은 식당이 보이면 들어가기로 했다. 마음에 차는 곳이 없어서 조금만 더 걷자고 한 것이 벌써 오후 3시가 넘어가고 있었다. 추운 날씨에 바깥에 오래 있었더니 몸이 으슬으슬 떨리기 시작했다. 임산부는 추우면 안 된다는데. 언니가 감기라도 걸릴까 봐 마음이 급해졌다.

"내가 추워서 그래. 이제 정말로 보이는 식당 있으면 바로 들어가는 거야."

해서 언니도 슬슬 한계였는지 마지못해 알았다고 했다. 골목을 돌자마자 연이어 자리 잡은 치킨집들이 보였다. 언니는 한 치킨집을 가리키며 가 본 적이 있는 맛집이라고 했다. 식당 바깥으로 대기 손님들이 길게 늘어서 있었다.

"저기는 안 될 거 같은데, 줄이 너무 길다."

해서 언니도 고개를 끄덕이며 말했다.

"저번에도 한 시간 기다려서 들어갔어."

나는 망설이는 언니의 손을 잡고 맞은편 가게로 걸어갔다. 가게 문을 여니 후끈후끈한 열기와 오래된 기름 냄새가 우리를 덮쳤다. 춥고 허기지는데도 훅 끼쳐 오는 가게 안의 공기가 역하게 느껴졌다. 그냥 다른 데 갈까. 해서 언니가 혼잣말처럼 중얼거렸다. 종업원은 못 들었는지 두 분이신가요? 하고 말을 걸었다. 오늘은 일단 여기서 먹고 다음에 예약해서 다시 오자. 나는 언니를 달래며 종업원이 안내한 자리에 앉았다. 기름때가 쌓인 식탁이 끈적거렸다. 양념 반 프라이드 반이요. 나는 해서 언니의 마음이 바뀔까 봐 종업원에게 대충 주문했다. 음료는 뭐로 하시겠어요? 사이다로 주세요. 언니는 불만스러운 표정을 지으면서도 다시 나갈 생각은 없었는지 목도리와 가방을 벗어 옆의자에 걸어 놓으며 물었다.

"그래서 최성아가 전화해서 뭐래?"

"그냥 설문 조사해 달라고 한 거야. 작년엔 내가 했으니까 이번엔 언니가 해 주면 되겠다."

순간 해서 언니가 싫은 표정을 지었다.

"그거 기록 남는 거 아니야? 난 싫은데."

"뭔 기록이 남아. 그거 해 줘야 애들 지원금 받는대. 돈 드는 것도 아닌데 그냥 해 줘."

"내가 그걸 왜 해. 지원금을 받든 말든 나랑 무슨 상관이라고."

해서 언니가 그룹홈을 싫어한다는 건 알고 있었지만 정말 싫다는 표정을 보니 내심 서운한 마음이 들었다.

"무슨 말을 그렇게 해."

"난 그룹홈도 싫고 사회 복지사도 싫어. 걔들이 우리를 어떻게 생각하는지도 다 아는데. 너야말로 어떻게 아무렇지 않을 수가 있어?"

"어떻게 생각하는데."

"너도 알잖아. 불쌍하다고 생각하는 거. 부모 좀 있다고 태어날 때부터 나보다 옳은 인생이래? 내 부모 내가 선택한 적 없고 지들도 똑같잖아. 갈 데 없어서 어쩔 수 없이 살았지만 고맙다고 생각한 적 한 번도 없어. 내 마음 안다고 이해하는 척하는 것도 싫고 거기서 살던 생각하면 쪽팔리고 끔찍해. 전화번호도 안 받으려고 저장한 거야."

종업원이 주문한 음식이 담긴 쟁반을 들고 가까이 왔다. 해서 언니는 격앙되었던 목소리를 서서히 낮추더니 이내 말을 멈추었다. 반반 치킨, 하얀 무, 머스터드 소스, 케첩과 마요네즈를 뿌린 옛날식 샐러드가 쟁반에서 테이블로 옮겨진다. 잠깐 침묵이 흘렀다. 치킨은 생각보다 푸짐해 보였다. 병따개로 사이다 뚜껑을 따 주고서 종업원이 주방으로 돌아갔다. 언니는 유리잔에 사이다를 따라서 내 쪽으로 주고 자기 잔에 남은 양을 마저 따른다. 해서 언니는 아까보다 조금 가라앉은 목소리로 말했다.

"너도 정신 차려. 괜히 상처받지 말고. 사람들은 그룹홈이 뭔지도 모르고 그런 사람들 붙잡고 일일이 설명할 필요도 없어. 보육원 출신인 거 알면 같은 잘못을 해도 더 오해받고 무시당해."

해서 언니는 닭 다리 하나를 내 접시에 옮겨 주고 자기 접시로도 하나 가지고 갔다. 포크 두 개로 닭 다리의 가장 오동통한 부분을 가르더니 포크로 찍어 한입 베어 문다. 이거 냄새나는 거 같은데. 난 닭 다리를 손으로 잡고 가장 두꺼운 부분을 한입 크게 베어 문다. 나는 괜찮은데. 해서 언니는 포크로 하얀 무를 찍어 먹는다. 그리고 다시 도전하듯 포크로 살코기를 찢어 머스터드 소스를 찍어 한입 먹는다.

"어쨌든 우리는 그룹홈에서 만났고 같이 살았잖아. 아닌 척한다고 있던 일이 없던 게 되는 건 아니잖아."

해서 언니의 인상이 확 구겨진다. 내 말이 언니를 화나게 한 걸까. 아니면 그냥 치킨이 맛없는 걸까. 해서 언니는 포크를 내려놓고 사이다만 마셨다.

"나만 아닌 척하면 사람들은 몰라. 나한테 그만큼 관심도 없어. 거기서 살았던 시간이 내 인생의 오점 같아서 지울 수 있다면 싹 다 지워 버리고 싶은데 네가 그렇게 그룹홈에 연락하고 지내는 것도 싫어."

"그럼 나도 언니 인생의 오점이야?"

"그룹홈에서 만난 게 자랑스럽진 않아. 그래서 하는 말인데 나중에 남친 만나면 그룹홈 얘기는 안 했으면 좋겠어. 나중 얘기긴 한데 완벽이한테도."

해서 언니는 미용실 사람들과 남자 친구에게 나를 어릴 때 같은 동네에서 살았던 친한 동생이라고 소개했다고 했다. 부모님들끼리 서로 친해서 같이 나고 자란 친동생 같은 동생이라고.

"다 없던 일처럼 살고 싶어."

생각해 보니 언니가 그룹홈을 나간 후로는 남자 친구를 보여 준 적이 없었다.

"그래서 지금까지 남자 친구를 한 번도 안 보여 준 거야?"

"둘 다 바쁘기도 했잖아. 넌 아무 생각 없이 다 말하니까 불안하기도 하고."

"언니는 내가 창피해?"

"니가 창피한 게 아니야. 내가 창피해서 그래."

"언니가 뭐가 창피한데."

"너는 안 그래도 세상이 그렇게 생각해."

"그래도 그건 거짓말이잖아."

"이게 너랑 나 모두를 위한 일이야."

해서 언니는 무언가를 두려워하는 것 같기도, 스스로 다짐하는 것 같기도 했다. 나는 해서 언니를 이해할 수 없었다. 치킨이 거의 손대지 않은 채로 접시에 남아 있었지만 우리는 자리에서 일어났다. 맛있게 드셨어요? 종업원이 눈치 없이 물었다. 이래서 장사가 안되는구나. 나는 대답하지 않았다. 해서 언니도 별말 없이 종업원에게 계산서와 카드를 내밀었다. 나는 가게 밖으

로 먼저 나갔다. 차가운 공기가 폐를 가득 채웠다. 나는 보상받

듯이 답답한 숨을 크게 들이마셨다.

집에 돌아온 나는 기름 냄새에 전 것 같은 옷가지를 바닥에
대충 벗어 두고는 침대에 드러누웠다. 야간 일을 마치고 집에
왔을 때보다 더 지치고 피곤했다. 해서 언니는 왜 그런 거짓말
을 했을까. 그 말을 듣자마자 왜 그랬느냐고 따져 묻고 싶었는
데 그만두었다. 언니는 동정받는 걸 싫어했으니까 그걸 피하려
고 그랬는지도 모른다. 허기가 졌다. 배고픔을 멈춰 보려고 손
으로 배를 감싸 쥐고 등을 구부려 몸을 둥글게 말아 본다. 해서
언니의 말대로 사람들은 사실이 무엇이든 아무 관심이 없을지
도 모른다. 베개를 끌어안으며 눈을 감았다. 시야가 어두워져
도 생각은 계속 이어졌다. 어쩌면 언니가 지어낸 이야기를 아무
도 기억 못 할지도 모른다. 원래 대충 꾸며 낸 평범한 이야기는
다른 사람들의 관심을 끌지 못하니까. 남들과 다른 까닭에 설명
할 게 많은 인생은 피곤했다. 자세히 설명한다고 더 환영받는
것은 아니기 때문에 시간을 들여 설명하는 일은 분명 손해였다.
해서 언니의 이야기가 너무 달콤하게 들려서 나도 모르게 거짓
속의 나를 상상해 보았다. 거짓이기 때문일까, 누린 적이 없는
일이기 때문일까. 기분이 더러웠다. 기분이 나쁘면 생각하지
않으면 되는 일인데 오늘 일은 쉽게 넘겨지지 않았다. 그때 화

를 내야 했을까. 갈 곳 잃은 감정이 자꾸자꾸 생각을 만들어 내었다. 이야기 속의 내가 진짜 나보다 나은 사람인 것 같았다. 나에 대해 좋게 꾸며서 말해 준 건데도 왜 이렇게까지 기분이 상하는 걸까. 배에서 꼬르륵거리는 소리가 났다. 낮에 종일 돌아다니고서 치킨도 몇 조각 먹는 둥 마는 둥 했으니 그럴 만했다. 배가 고픈데 신경까지 써서 그런지 한쪽 머리가 지끈거렸다. 해서 언니는 밥이나 잘 챙겨 먹었을까.

마침내 배고픔이 귀찮음을 이긴다. 침대에서 나옴과 동시에 바닥에 아무렇게나 벗어 놓은 겉옷을 허겁지겁 주워 입고는 벗어 둔 양말도 재빠르게 신었다. 침대에서 몇 발자국이면 닿는 미닫이문을 연다. 이 집은 원룸이지만 부엌과 방이 미닫이문으로 나뉘어 있어서 좋았다. 해가 들지 않아서 낮에는 어둡고 겨울엔 추웠지만 아침에 잠을 자는 나에겐 그마저도 좋았다. 불을 켜자 어두웠던 부엌이 환해졌다.

캐비닛을 열고 먹을 것을 확인했다. 라면이 세 개, 햇반이 두 개 남았네. 오늘 해서 언니의 거짓말을 들어서일까, 갑자기 내 인생이 초라하고 불쌍해졌다. 언니는 변했다. 예전에는 동정하는 사람들을 비웃으며 자신에 대해 더 크게 떠들고 다녔었는데 지금은 자신의 과거를 숨기기 위해 거짓을 꾸며 내고 있었다. 언제부터 바뀐 걸까. 완벽이가 생기고서부터일까. 지금까지 나는 행복한 건 아니었지만 그렇다고 불행하지도 않았다. 그런데 해서 언니의 말 한마디로 스스로가 불쌍하게 느껴지는 건 아무리 생각해도 이상하다. 언니가 내게 잘못한 게 분명했다. 그게 뭘까. 양은 냄비에 수돗물을 틀어 물을 채웠다. 가스레인지에 냄비를 올리고 레버를 돌려 불을 최대로 켜고는 방으로 가 미닫이문을 닫았다. 아무래도 부엌은 방보다 춥다. 이번에는 옷을 다 입은 채로 이불 속에 파고들어 해서 언니에게 전화를 걸까 말까 한참을 고민하다가 다시 미닫이문을 연다. 물이 끓고 있다. 라면 하나를 뜯어 분말 수프와 건더기 수프를 냄비 안에 넣자, 끓던 물이 한 번 더 높이 끓어올랐다. 어차피 이틀 후면 병원에서 다시 만나니까 그때 말해 볼까. 마지막으로 면을 넣었다. 붉은색이 하얀색을 완전히 집어삼킨다. 면은 잠시 가라앉았다가 물과 함께 부글부글 끓으며 다시 표면으로 떠올랐다.

해서 언니와 만나고서 며칠이 지난 건지 하릴없이 먹고 자다 보니 시간이 잘도 갔다. 캐비닛에 남은 라면 두 개와 햇반 하나가 빈 곳을 더 비어 보이게 했다. 마트 가야지. 요즘은 인터넷으로 주문해도 바로 온다던데. 해서 언니가 인터넷 배송이 자기가 마트에 다녀오는 것보다 빠르다고 했던 게 떠올랐다. 그러고 보니 오늘이 언니와 병원에 가기로 한 날이었던 것 같았다. 깜짝 놀라 캐비닛을 닫고 시계를 보니, 짧은 바늘이 11자 위에 있었다. 이미 병원 예약 시간을 한참 넘긴 후였다. 침대 밑에 떨어진 핸드폰을 주워 충전기를 꽂고는 마음을 졸이며 핸드폰을 켰다. 예상외로 핸드폰은 아무 연락도 없이 잠잠하다. 오늘이 아니었나. '병원 가는 날 9시'라고 엊그제 저장해 둔 알람이 뒤늦게 울렸다. 해서 언니라면 벌써 연락을 하고도 남았을 시간이었다. 그러고 보니 그날 이후로 언니에게 아무 연락이 없었다. 나도 따로 연락하지는 않았다. 해서 언니도 나처럼 늦잠을 잔 건 아닐까 하는 생각에 언니에게 전화를 걸었다.

'고객님의 전화기가 꺼져 있어 소리샘으로 연결됩니다. 연결 후에는 통화료가 부과됩니다.'

왜 핸드폰이 꺼져 있지? 나와는 달리 해서 언니는 좀처럼 핸드폰을 꺼 두는 법이 없었다. 나는 엄지손톱을 입에 물었다.

메시지를 여러 번 보냈는데도 언니는 답이 없었다. 나는 답답한 마음에 산부인과로 향했다. 해서 언니는 혼자 병원에 다녀간 걸까. 약속을 지키지 않은 내게 화가 나서 전화를 꺼 둔 건지도 모른다. 그동안 매번 약속에 늦는 언니를 기다리면서 난 한 번도 화낸 적이 없는데⋯⋯. 괜히 억울한 마음이 들었다.

병원 안에 들어가서 안내 데스크 간호사에게 이름을 말했더니 예약 시간은 지났고 대기자가 많으니 좀 기다려야 하는데 괜찮은지 물었다. 나는 괜찮다고 하고는 의자에 앉아서 멍하니 모니터 화면을 보았다. 전에 왔을 때는 몰랐는데 모니터 화면에 대기자 명단이 표시되고 있었다. 명단 마지막 줄에 내 이름이 추가되었다. 내 앞에 대기자는 열네 명. 그중에 해서 언니는 없다. 그래도 주변에 있지 않을까 둘러보았지만 역시 언니는 없다. 내 앞의 대기자가 다 사라지고 또 내 뒤에 대기자가 세 명 정도가 되어서 주변이 한산해졌을 때 간호사가 저번처럼 진료실 앞으로 나를 안내했다. 예약 시간에 맞춰 오지 않은 것에 대해 뭐라고 하는 건 아닐까. 하지만 의사는 그에 대해선 아무 말도 하지 않았다. 의사는 마우스를 좌우로 움직이며 모니터를 보고 말했다.

"다행히 검사 결과는 좋아요. 지금은 괜찮아도 나중에는 무월경이 문제가 될 수 있어요. 약은 일단 한 달분 처방해 줄게요."

의사는 그러고는 마우스를 몇 번 더 딸각거리더니 할 일을 다 마친 듯 말했다.

"그럼 약 다 먹고 한 달 후에 다시 오세요."

의사는 별문제가 없어서 그런지 저번처럼 이것저것 질문하지 않았다. 이제 나가라는 분위기에 내가 오늘 병원에 온 진짜 용건이 생각났다.

"저, 해서 언니는 오늘 병원에 왔나요. 연락이 안 돼서요."

"음, 오늘은 오지 않았는데요……. 두 분 다 예약 시간에 오지 않아서 다른 바쁜 일이 생겼나 했어요."

오늘 병원에서 만나기로 했는데……. 나도 늦었지만 해서 언니는 아예 오지 않았단다. 아무 소득 없이 진료실을 터덜터덜 나오며 진료비를 납부하고 처방전을 받았다. 여전히 언니에게선 아무 답이 없다. 불안한 마음에 해서 언니에게 메시지를 몇 개 더 남긴다.

> 언니 왜 연락이 안 돼?

> 오늘 검진일인데 왜 병원에 안 왔어? 의사 쌤이 꼭 오라더라.

혹시 데이터가 없어서 톡을 읽지 못하는 걸까 봐 문자도 하나 보냈다. 왜 연락이 안 되는 걸까. 평소 해서 언니와 자주 연락을 하진 않았지만 답장이 없었던 적은 한 번도 없었다. 오히려 늘 연락을 기다리는 사람처럼 메시지를 보내면 곧 1이 없어지고 바로 답장이 왔었는데. 나는 내가 해서 언니가 어디에 사는지, 언니가 일하는 미용실이 어디인지도 모른다는 사실을 새삼 알게 되었다. 끝까지 연락되지 않으면 어떻게 언니를 찾지? 그러다가 문득 병원에 집 주소를 알려 준 것이 기억났다.

"김해서 환자 집 주소 좀 알 수 있을까요?"

"죄송하지만 다른 환자분 개인 정보는 저희가 알려 드릴 수 없어요."

접수 데스크 간호사의 태도가 단호하다. 간호사의 입은 웃고 있지만 눈은 웃고 있지 않았다. 간호사에게는 그냥 알았다고 대답하고는 괜히 해서 언니에게 메시지를 더 남겼다.

> 언니 무슨 일 있어?

> 연락받으면 꼭 답장해.

> 걱정된단 말이야.

메시지를 스무 통도 넘게 보낸 것 같은데. 해서 언니가 핸드폰 좀 켜 놓고 연락 잘하라고 했을 때는 귀담아듣지 않았는데. 막상 반대의 처지가 되자 그동안의 행동을 반성하게 되었다. 나는 처방받은 약 봉투를 들고선 집으로 돌아갔다.

해서 언니는 어디로 간 걸까. 병원에서 나와 집에 와서도 나는 아무것도 못 하고 언니만 찾았다. 문득 해서 언니가 예전에도 마음이 상하면 관계를 일방적으로 끊곤 했던 게 기억이 났다. 나는 잘못한 게 없는데 억울했다. 치킨을 먹으면서 조금 언성을 높이긴 했어도 그게 연락까지 끊을 일은 아닌 것 같았다. 언니는 조만간 내게 남자 친구를 소개해 주기로 했고 그룹홈에 대해서 말하지 않았으면 좋겠다고도 했다. 이해가 되진 않았지만 분명 나를 위한다는 말도 했었다. 그러니까 아니겠지. 갑자기 오래전 기억이 떠올랐다. 그때도 나는 잘못한 게 없었다. 그런데도 나를 데리러 온다던 아빠는 결국 돌아오지 않았다. 해서 언니도 영영 못 보는 걸까. 답이 없다.

'아, 명함.'

무기력하게 누워 있던 몸뚱이를 벌떡 일으켰다. 해서 언니가 언제 한번 머리하러 오라며 줬던 명함. 버리지 않았으니 분명 집 어딘가에 있을 거다. 서랍과 가방, 예전에 썼던 지갑, 다른 계절 옷의 주머니까지. 집 안 곳곳을 뒤지다가 요즘은 잘 안 입는 청바지 뒷주머니에서 언니의 명함이 나왔다. 아무렇게나 넣어 구겨진 명함을 조심스럽게 펼쳤다. 헤어 디자이너, 민해서. 그때는 왜 몰랐을까. 명함의 이름이 김해서가 아니라 민해서였다는 걸. 언니가 일하는 미용실은 수원역에 있었다. 내가 전에 일하던 곳과도 가까웠다. 내가 출근하면서 지나가기도 했던 곳. 스스로가 한심했다. 엉망이 된 옷가지들 사이로 대충 입을 만한 옷을 골라 서둘러 입다가 멈춘 채 생각했다. 일단 씻고 머리도 감고 미용실에 가는 게 좋겠다고. 나는 해서 언니와 만날 준비를 했다.

4장

"오랜만이네."

"어, 정말."

나는 괜히 아까 전 통화가 생각나 머쓱해져서 카페 내부를 둘러보며 시선을 피했다. 평일의 이수역은 한가했다. 카페 주인의 취향으로 보이는 장식품과 장난감들이 한쪽 벽의 수납장을 채우고 있다. 가게 구석에 있는 피아노 위에는 조잡한 캐릭터 인형들이 가득 들어차 있었고, 피아노 뚜껑 위에도 여행하면서 모은 것 같은 조그만 기념품들이 빽빽이 채워져 있었다. 자신의 관심사를 상징하는 쓸데없는 것들을 모으는 이런 행위에 해서 언니는 열광했다. 그렇다고 언니가 그런 물건들을 사서 모으는 건 아니었다.

가게의 문 옆쪽 벽에는 펜으로 대충 그린 것 같은 패브릭 포스터가 걸려 있었다. 해서 언니라면 문 옆에 걸린 패브릭 포스터 앞에 서서 가게의 장식품들이 잘 보이게 사진을 찍어 달라고 했을 것 같았다. 카페 안을 둘러보며 언니를 떠올리는데 솔 언니가 먼저 입을 열었다.

"네가 나한테 전화할 줄은 몰랐어."

"나도 전화한다고 바로 받을 줄은 몰랐지."

"오란다고 이렇게 바로 만나게 될 줄은 몰랐는데."

"나는 만나자고 할 줄 몰랐어."

우리는 동시에 웃음이 터졌다. 옛날 생각이 났다. 오랜만에 보는 솔 언니는 왠지 어른 같아 보였다. 그런데 대화를 하니까 신기하게도 어제 만난 것처럼 가깝게 느껴졌다. 먼저 웃음을 멈춘 솔 언니가 물었다.

"아, 김민서 진짜 웃겨. 넌 그대로네. 그건 그렇고 해서 언니가 없어졌다니, 그게 무슨 말이야."

"말 그대로야. 없어졌어."

*

도착한 미용실에 해서 언니는 없었다. 임신을 이유로 당분간은 쉬겠다고 했단다. 나는 당황했다. 해서 언니가 일을 쉰다는 이야기를 했던가. 한참을 생각해 보니 언젠가 그런 이야기를 한 것도 같았다. 왜 자세히 묻지 않았을까. 내 표정이 많이 안 좋았는지 미용실 원장님이 물 한 잔을 떠다 주며 자리로 안내했다.

"해서 씨가 말했던 그 동생 맞죠? 해서 씨한테 머리하러 온 것 같은데 어떻게 할래요?"

원장님은 친절했다. 자연스러운 원장님의 행동에 나는 어느 덧 겉옷까지 벗어 주고는 미용실 의자에 앉았다. 평일이라서 그런지 가게 안에 다른 손님은 없었다. 바닥부터 천장까지 닿아 있는 전신 거울이 나와 원장님을 비추었다. 원장님의 짧은 커트 머리는 염색을 해서 붉은 기가 돌았다. 깔끔하게 정리된 눈썹도 머리카락과 마찬가지로 붉었다. 해서 언니가 원장님 나이가 40대라고 했던 것 같은데 겉으로는 나랑 별로 차이가 없어 보였다. 언니는 원장님이 집에서 곱게 커서 철이 없는 것 같다고 했다. 연애만 하고 결혼할 생각이 전혀 없는 것 같다며 이해가 안 간다고 했었다. 원장님이 뒤로 와서 나의 부스스한 머리카락을 보았다. 그 시선은 내 머리를 보던 해서 언니의 눈빛과 비슷했다. 긴 거울이 나와 원장님을 같이 비추었다. 언니가 늘 했던 말이 무슨 말인지 알 것 같았다. 거울 안에서 시선이 마주치니 원장님의 눈이 웃는다. 뭐가 저렇게 좋은 걸까. 반 곱슬의 관리되지 않은 내 긴 머리가 부스스했다. 창백한 내 피부는 햇빛이 부족한 식물처럼 생기가 없었다.

"해서 씨에게 얘기 많이 들었어요. 어렸을 때는 자기가 앞머리도 잘라 주고 머리도 빗겨 주고 그랬었는데 요즘엔 영 그러지 못한다고요. 맨날 오라고 하는데 안 온다고 서운하다고 했는데. 전 외동이라서 그런 언니나 동생 있었으면 좋겠다고 생각했거든요."

이런 얘기를 왜 듣고 있는 걸까. 알고 싶지 않다.

"혹시 해서 언니 어디 사는 줄 아세요? 연락이 안 돼서요."

"그건 잘 모르겠네요. 저번에 이사했다는 얘기만 들었어요."

여기에 더는 있을 이유가 없었다. 해서 언니가 말했던 그 동생이 내가 맞겠지만 나는 그 동생이 아니다.

"해서 언니 있을 때 다시 올게요."

맡겨 둔 겉옷을 챙겨 들고 서둘러 미용실을 나섰다. 문이 닫히고 종이 딸랑 울렸다. 계단을 뛰어 내려와 건물 밖으로 나오니 버스 정류장과 맞은편에 수원역이 보였다. 수많은 사람들이 있다. 다들 어디론가 간다. 누군가를 기다리는 사람, 지하도로 통하는 계단을 내려가는 사람, 계단을 오르는 사람, 버스를 기다리는 사람, 버스에 올라타는 사람, 버스에서 내리는 사람. 다들 어딘가로 향하고 있다. 나는 어디로 가야 할까.

핸드폰을 꺼내 인터넷 검색을 했다. '언니가 없어졌어요.' 언젠가 해서 언니가 그랬다. 어떻게 해야 할지 모르겠으면 인터넷에 검색해 봐. 모르는 걸 다른 사람들에게 다 티 내는 것보다는 그게 나아. '모르는 걸 모른다고 하는 게 어때서.'라고 생각했다가 해서 언니의 말에도 일리가 있는 것 같아서 한두 번 검색을 했었다. 하지만 딱히 도움이 된 적은 없다.

비슷한 질문들과 답변들이 검색되었다. 그중에서 나의 상황과 가장 비슷한 질문을 골랐다. '친한 언니가 없어졌어요. 어떻게 해야 할까요.'라는, 삼 년 전에 올라온 질문이 있었다. 삼 년 전에 나와 비슷한 사람이 있었나 보다. 다행히 질문에 대한 답변이 두 개나 있었다. 상단에 고정된 답변은 질문자에게 채택된 답변이었다.

그럴 때는 112에 신고하세요. 그냥 친한 언니라고 했으니 진짜 가족은 아니겠네요. 가족이 아니면 경찰은 절대 신고를 받아주지 않습니다. 이건 제 경험담이니까 진짜예요. 그러니 꼭 그 언니의 가족들에게 알려서 경찰에 신고하세요. 아무리 친하더라도 이럴 때는 가족이 나서야지 지인이 신고하는 거는 경찰이 신경도 안 쓰고 별 소용도 없어요. 그리고 가족들이 알았다면 벌써 신고가 되었을 테니 너무 걱정하지 마세요. 답변이 도움 되셨으면 꼭 채택 부탁드려요!!!

연락할 수 있는 가족이 있었으면 벌써 했겠지. 이렇게 걱정되고 불안하지도 않았을 거였다. 답변자가 어린애 같았다. 그렇지 않고서야 이렇게 아무것도 모를 수는 없다. 가족이 아닌 사람은 아무 소용이 없으니까 아무것도 하지 말라는 건가. 역시

인터넷은 별로 도움이 안 된다. 스크롤을 내려 다음 답변을 확
인했다.

안녕하세요.

가사 전문 변호사 이윤석입니다.

빠른 상담 빠른 해결

문의 02-○○○-○○○○

광고였다. 답변 하단에는 사람이 없어졌다는데 광고를 하고
싶냐며 네가 사람이냐는 질문자의 댓글이 있었다. 기대도 하지
않았는데 실망하는 이유는 뭘까. 습관적으로 전화번호부를 열
었다. 저장된 일흔여덟 개의 번호가 있다. 솔 언니라고 저장된
이름이 보였다. 익숙하고 오래된 이름이다. 설, 솔 언니가 그룹
홈을 나간 뒤로 한 번도 걸어 본 적 없는 전화번호. 지금도 이 번
호를 쓰고 있을까. 전화를 건다고 뾰족한 수가 생기진 않을 텐
데. 하지만 그런 생각보다 손가락이 먼저 반응했다. 연결음이
채 두 번 울리기도 전에 상대가 전화를 받았다. 여보세요. 전화
를 걸었지만 받을 거라고 생각하지 못하다가 막상 목소리가 들
려오니 당황스러웠다. 뭐라고 말해야 할까. 오랜만에 듣는 목
소리 때문인지 지금 상황 때문인지 갑자기 울먹이며 말이 나
왔다.

"응, 나 민선데."

솔 언니가 다급하게 물었다.

"무슨 일이야? 지금 어딘데?"

다급해진 솔 언니의 목소리에 왠지 더 울컥해서 말이 잘 나오지 않았다. 진정하고 말하려는데 다시 해서 언니에 대해 말을 꺼내려니 목소리가 떨렸다.

"해서 언니가 없어졌어."

"……언니가 없어졌다니 그게 무슨 말이야. 나 조금 있으면 퇴근하는데 오늘 만날 수 있어?"

만날 수 있다면 어디든 괜찮을 것 같다.

"응, 만날 수 있어."

"지금 어딘데."

"수원역이야."

"여기 이수역인데 퇴근하고 가려면 시간이 좀 걸릴 거 같아. 이쪽으로 올 수 있어?"

"응. 지금 바로 갈게."

"그래. 좀 진정하고 이따 봐."

어디론가 향하는 사람들 사이에 섞여 이수역으로 향한다. 나는 안심했다.

해서 언니가 임신 6개월이라는 것, 며칠 전 해서 언니와 병원에 갔다가 조금 다투었던 일, 그리고 그 후 병원 검진일인 오늘 병원에도 오지 않고 지금까지 연락도 안 된다는 것, 집에서 해서 언니의 명함을 겨우 찾아 해서 언니가 일했던 미용실에도 찾아가 봤지만 그곳도 이미 그만둬서 이젠 찾을 방법이 없다는 얘기까지 모두 털어놓았다. 한참 이야기를 듣고 있던 솔 언니가 간단하게 요약했다.

"그러니까 임신한 해서 언니가 없어졌단 거지? 근데 메시지는 읽고 있고."

"응."

솔 언니는 내 대답을 듣고서 한숨 쉬더니 별것 아니라는 듯이 말했다.

"네 전화 받고 얼마나 놀란 줄 알아? 무슨 큰일이라도 생긴 줄 알고."

해서 언니가 없어졌다는데도 솔 언니의 별일 아니라는 반응이 서운했다.

"이게 큰일이 아니면 뭐가 큰일인데."

"해서 언니 연락 끊는 거 한두 번 아니야. 나한테 삐졌을 때도 자주 그랬는데 그러고선 또 시간 지나면 전화 오고 그래. 그리고 연락 안 되는 거 너 때문이 아닐 수도 있어."

솔 언니는 해서 언니에 대해 나보다 더 잘 아는 것 같았다. 그룹홈에서 함께 지낼 때는 사이가 좋지 않아 서로 연락하는 줄도 몰랐는데. 솔 언니는 해서 언니와 그룹홈을 나온 시기가 비슷해서 그때부터 서로 오가며 지냈다고 했다. 그사이에 연락이 몇 번 끊어진 적도 있었지만 아직까지는 소식이 닿았었다고도 말했다.

"연락을 안 받는 게 나 때문이 아니라니? 언니는 해서 언니 왜 저러는지 알아?"

"그것까지 내가 어떻게 알아. 집이 어딘지는 아니까 다음에 같이 가자. 지금은 안 만나는 게 나은 거 같아."

"집도 알아?"

"저번에 이사할 때 불렀잖아. 그러고 보니 그날 같이 술 엄청나게 마셨는데 그때도 임신한 상태였던 거네. 생각도 못 했어."

"나는 왜 안 불렀어?"

"너는 저녁에 일하느라 자고 있어서 못 온다던데."

일하던 때였나 보다. 해서 언니가 말했던 것 같은데 잘 기억이 나지 않았다. 그때는 일하는 게 당연하다고 생각했는데 솔 언니와 얘기를 하다 보니 뭔가 잘못한 것 같았다. 그럼 나만 빼고 설 언니와 솔 언니, 해서 언니 셋이서 본 걸까. 해서 언니의 남자 친구도 있었을까.

"그럼 해서 언니 남친도 봤어?"

"아니, 남친은 본 적 없어."

"그렇구나."

내가 연락하는 사람은 해서 언니밖에 없었다. 언니는 내게 늘 먼저 연락해 주었다. 그룹홈에 있을 때도 그룹홈을 나와서도 그랬다. 해서 언니가 나를 끊어 낸다면 내겐 아무도 없었다. 인생을 잘못 산 걸까. 생각에 잠긴 나를 보고 솔 언니가 말했다.

"그럼 낮부터 해서 언니 찾는다고 그러고 있는 거야? 밥은 먹었고?"

"아니, 안 먹었는데."

생각해 보니 오늘 아무것도 먹지 않았다. 종일 먹은 게 없다는 걸 알고 나서야 허기가 느껴졌다.

"그럼 같이 저녁 먹자. 나도 퇴근하고 바로 온 거라 배고파."

솔 언니는 내게 먹고 싶은 메뉴가 있는지 묻더니 회사 주변이라 근처에 있는 식당들을 잘 안다며 어디론가 나를 데려갔다. 퇴근 시간이라 거리에는 직장인으로 보이는 사람들이 많았다. 여기 반찬이 괜찮아. 솔 언니의 말대로 뚝배기에 순두부찌개와 밥 한 공기 그리고 밑반찬 여러 가지가 나왔다. 솔 언니가 나보고 많이 먹으라며 제육볶음을 추가로 시켜서 상이 푸짐했다. 오랜만에 먹는 집밥 같은 밥이었다.

"해서 언니가 엄마가 된다니 진짜 기분 이상하다. 너무 안 어울려."

"맞아. 술, 담배도 다 끊고 정말 엄마같이 행동한다니까. 엄청 신기해."

배가 고파서 그런지 밥맛이 무척 좋았다. 허겁지겁 밥을 먹는데 솔 언니가 물었다.

"소주 먹을래?"

"아니, 나는 술 안 마셔."

"여기 소주랑 사이다 주세요."

솔 언니는 나에게도 소주잔을 주었다. 너무 작아서 술 마실 때 빼고는 쓸모도 없는 작은 잔. 유리라서 깨지기도 쉬웠다. 나는 컵이라고 부르기도 애매한 저 잔이 싫다.

"나는 필요 없어."

"그냥 기분만 내라고."

솔 언니는 자기 잔엔 소주를 붓더니 내 잔에는 사이다를 따라 주었다. 잔을 들고 짠 하는 소리를 내는 솔 언니에게 어이없어하며 마지못해 잔을 들어 주었다. 유리잔과 유리잔이 부딪치며 경쾌한 소리를 내었다. 솔 언니 잔에 담긴 투명하고 맑은 액체가 넘칠 듯이 찰랑거렸다. 내 잔의 바닥에서는 맑은 기포가 보글보글 올라왔다. 솔 언니는 밥과 소주를 함께 먹는 게 익숙해 보였다. 아빠도 그랬다. 주변을 보니 다른 아저씨들도 솔 언니처럼 소주잔과 밥을 한데 두고 먹고 있었다. 나도 솔 언니를 따라 밥을 먹다가 말고 중간중간 사이다를 홀짝여 보았지만 이런 게 무슨 기분을 내는 것인지는 알 수 없었다.

"그래도 이렇게 보니까 좋다. 옛날 생각도 나고."

"언니들이 돌아간 후로는 못 봤으니까. 잘 지냈어?"

솔 언니는 대답 없이 잔에 술을 따르더니 한꺼번에 쭉 들이켰다. 설, 솔 언니가 그룹홈을 나갈 때가 떠올랐다. 해서 언니는 만 18세가 되어서야 취업이 되어 그룹홈을 떠났지만 설, 솔 언니는 그보다 일찍 아빠를 따라 집으로 돌아갔다.

*

"너흰 이런 거 없지. 이게 민증이라는 거야."

해서 언니 손에 들린 주민 등록증이 빛을 받아 반짝거렸다. 주민 등록증 사진 속 해서 언니의 얼굴은 비비 크림을 발라 희었고 입술은 틴트로 칠해 붉었다. 고데기로 앞머리를 동그랗게 만들고 뒤로 긴 머리는 구불구불하게 말았다. 미용실에서 한 것 같았다. 언니는 사진이 예쁘게 나왔다며 자랑했다. 저게 있어야 나갈 수 있구나. 솔 언니는 해서 언니의 주민 등록증을 보며 중얼거렸다. 나는 생각했다. 저게 있으면 나도 핸드폰을 살 수 있을까. 부모님이 핸드폰을 개통해 준 다른 아이들과는 달리 나만 핸드폰이 없었다. 연락할 사람이 없어서 꼭 필요한 건 아니었지만, 같이 게임을 하려면 선생님 핸드폰을 빌려서 해야 하는 것과 나만 그룹홈 단톡방에 속하지 못하는 건 싫었다. 해서 언니는 주민 등록증을 부러워하는 설, 솔 언니에게 야, 너네도 그냥 일 년만 참아. 일 년 금방이야. 그리고 내가 돈 벌어 보니까 그룹홈에서 맘 편히 학교 다닐 때가 좋은 것 같더라고. 학생일 때가 좋은 거야 하고 큰 어른이라도 된 것처럼 말했다. 해서 언니는 살기 힘들다고 푸념했지만 만 18세가 되자마자 미련 없이 그룹홈을 떠났다.

몇 번의 시도 끝에 김선아 선생님이 해서 언니와 겨우 연락이 닿았다. 집도 잘 구했고 일도 잘 다니고 있다며 잘 살고 있으니 연락하지 말라고 했단다. 선생님은 그래도 다행이라고 했다. 언니는 그룹홈을 나가고서도 내게 계속 연락을 했다. 해서 언니가 최신형 핸드폰을 구매하고 전에 쓰던 것을 나에게 주면서 그게 가능했다. 내가 언니와 연락을 주고받는 걸 알게 된 선생님은 그다음부터 해서 언니에게 직접 연락하지 않고 내게 언니의 안부를 물었다. 개통이 되지 않은 핸드폰으로도 와이파이가 되는 곳에서는 게임과 인터넷, 메시지 주고받기가 가능했다. 핸드폰을 갖고 나서는 나도 여느 아이들처럼 와이파이가 되는 곳을 찾아다니며 비밀번호를 채워 넣었다. 내가 답장을 잘 하지 않아서 우리의 대화는 곧잘 끊겼지만 해서 언니는 늘 내게 먼저 연락을 해 왔다. 설, 솔 언니는 학교에서 집에 돌아오면 둘이서만 방에 틀어박혀 시간을 보냈다. 정해정 선생님이 곧 퇴사한다는 이야기가 들렸다. 나는 해서 언니와 둘이 쓰던 방을 혼자 쓰게 되어 기분이 싱숭생숭했다. 해서 언니의 퇴소가 모두에게 영향을 준 것 같았다.

설, 솔 언니는 고2, 나는 중2가 되었다. 다니는 학원이 늘어났다. 그사이 정해정 선생님은 그만두었고 최성아 선생님이 새로 왔다. 새 선생님이 왔지만 설, 솔 언니들은 예전처럼 살갑게 굴지는 않았다. 나는 김선아 선생님 옆에 가까이 서서 새로운 선생님을 바라보았다.

학원도 매일 가고 숙제도 매일 하는데 왜 성적이 안 오를까. 최성아 선생님이 나를 보고 말했다. 나도 같은 의문이 들었다. 성적은 노력을 배신하지 않는다는데 나는 거기에 포함되지 않는 사람 같았다. 나도 설과 솔 언니들처럼 인문계 고등학교에 가고 싶었다. 언니들은 둘 다 대학에 갈 거라고 했다. 설 언니는 아빠가 요즘엔 술도 끊고 일하느라 바쁘다 했다. 확실히 설, 솔 언니가 고등학생이 되고서는 조용해진 것도 같았다. 접근 금지 처분을 받아서 그렇겠지만 들려오는 소문에도 별다른 사건 사고는 없었다. 설, 솔 언니는 긍정적으로 생각하는 것 같았다. 솔 언니보다는 설 언니의 성적이 높았다. 설 언니는 아직 가고 싶은 학과를 결정하지 못했다고 했고 솔 언니는 성적에 맞춰서 갈 수 있는 대학에 갈 거라고 했다. 장학금을 받아서 아빠의 부담을 덜어 주는 게 둘의 공통된 목표였다. 나는 고등학교에 갈 때쯤엔 아빠가 나를 데리러 올지도 모른다는 생각을 했었다. 처음에는 내일이었다가, 그다음은 열 밤 자고였다가, 그다음은 내년

설날이었다가, 어린이날이 되었다가 추석, 그다음엔 크리스마스. 나이가 들수록 참을성이 생긴 것인지 더 오래 기다릴 수 있게 되었다. 나이가 드니까 결과적으로 오래 기다리게 되어 버린 것뿐인지도 모르지만 그런 기다림에 익숙해져서 더 긴 시간을 기다릴 수 있게 된 건 맞다. 중학교를 졸업하고 고등학교에 입학하면 아빠가 오래 기다렸다고, 그렇게 두고 가서 미안하다고 돌아올 수도 있지 않을까. 어쨌든 내가 할 수 있는 건 아빠가 나를 두고 간 여기에서 나름대로 최선을 다하며 기다리는 것뿐이었다. 학교에서도 희망을 갖고 열심히 사는 건 인생을 사는 데 있어 좋은 태도라고 배웠다. 김선아 선생님은 조만간 그룹홈에 새로운 아이가 올 거라고 했다. 정확히 몇 살인지는 모르지만 나보다 어릴 거라고 했다. 그 아이가 해서 언니의 자리를 채우게 되겠지. 최성아 선생님은 어린 동생과 같이 방을 쓰게 되면 너도 해서 언니가 했던 것처럼 동생을 잘 보살펴야 한다고 했다. 왜일까. 나는 그 말이 싫었다. 어버이날에 집에 다녀온 설 언니가 진지하게 말했다.

"아빠가 술도 담배도 안 하고 우리 아빠 아닌 거 같아서 정말 이상했어."

솔 언니도 설 언니의 말에 맞장구를 치며 말했다.

"아빠가 술 안 먹고 담배도 안 피우고 그러니까 할머니도 정말 좋아하시고……."

명절이나 쉬는 날에 집에만 다녀오면 눈에 띄게 불안정해 보였던 언니들은 아빠의 변화 때문인지 얼떨떨하면서도 벅차 보였다. 설 언니가 김선아 선생님을 보며 말했다.

"선생님, 아빠가 보건소에서 시작하는 프로그램에 참여한대요."

설 언니의 말에 솔 언니가 덧붙였다.

"지금까지 한 번도 결석 안 했대요."

언니들의 아빠는 보건소에서 진행하는 금연과 금주 프로그램에 참여하기 시작했다고 했다. 이제 삼 개월 되었는데, 그동안 담배와 술을 한 번도 입에 대지 않았다며 기뻐했다. 그 변화에 선생님들도 잘되었다며 축하해 주었지만 막상 둘이 아빠를 따라 집에 가는 것에는 반대했다. 그러자 언니들은 나를 설득하기 시작했다.

나를 설득해 봤자 아무 소용도 없었겠지만 언니들은 나한테라도 찬성표를 받고 싶은 것 같았다. 김선아 선생님은 안 가면 안 되느냐고 아직은 그룹홈에 머물 수 있는 시간이 있으니까 그때까지만이라도 조금 더 생각해 보자며 언니들을 말렸다. 한 번 미루고, 다음 한 번을 더 미루는 동안 언니들의 아빠가 또다시 술을 먹고 사고를 칠 거라고 생각하는 것 같았다. 그러면 언니들의 마음이 다시 바뀔지도 모르니까. 최성아 선생님은 알코올 중독으로 인한 가정 폭력 재발률이 얼마나 높은지, 그렇기 때문에 지금 집에 돌아가는 게 얼마나 위험한 일인지를 언니들에게 설명했다. 그룹홈에서 대학에 가면 등록금을 지원받을 수도 있고 생활비도 절약할 수 있으니 그게 아빠를 돕는 일일 수도 있다는 말도 덧붙였다. 언니들은 대꾸도 하지 않고 방으로 들어갔다. 그런 언니들을 따라 나도 안으로 들어갔다.

"선생님들은 아빠를 너무 나쁘게만 생각하는 거 같아."

"그동안 본 게 있으니까 그렇지."

선생님들 말에는 대꾸도 안 하던 설 언니가 내 말에는 반응하며 의외로 수긍했다.

"그건 그렇지."

솔 언니가 짜증 섞인 목소리로 말했다.

"우리도 선생님이 하는 말 무슨 뜻인지 다 안다고."

때가 되면 학교와 그룹홈에서 의무적으로 실시하는 가정 폭력과 아동 학대에 대한 교육을 여러 차례 들었다. 나도 아빠가 나를 혼자 컨테이너에 둔 것이 방임이었고 그것이 학대의 일종이라는 걸 안다. 그런 교육을 받을 때면 설, 솔 언니들은 본인들이 잘못을 저지른 것처럼 불편해했다. 그래서 해서 언니가 있을 때는 넷이서 같이 교육을 땡땡이치고 도망친 적도 있었다. 놀이터에서 놀다가 걸려서 크게 혼이 나는 바람에 우리는 집 근처로 도망친 것을 후회했다. 하지만 결국 그날 교육은 받지 않게 되어서 나중엔 선생님들 몰래 웃었다.

결국 언니들은 선생님의 말을 따르기로 했다. 정확히는 선생님들의 말을 반만 수용한 것인데 당장 집에 아주 돌아가는 것은 보류하는 대신 아빠와 할머니를 보러 더 자주 집에 들르기로 했다. 언니들에게도 아빠가 정말 변했다는 확신이 필요해 보였다. 설 언니는 아빠가 진짜 변했다고, 선생님들도 두고 보시라고 큰소리를 쳤다. 김선아 선생님은 진심으로 그러길 바란다며 언니들과 언니들의 아버지를 위해 기도하겠다고 했다. 둘은 매주 주말 집에 갔다. 그래서 나는 주말마다 심심해야 했다. 해서 언니 대신 어린아이가 그룹홈에 새로 왔지만 나는 그 아이와 별로 친해지지 못했다. 김선아 선생님의 기도가 통한 걸까. 언니들의 아빠가 금연과 금주를 유지하면서 일도 새로 시작했다고 했다. 매주 집에 다녀온 둘은 정말 행복해 보였다.

집에 다녀온 설 언니가 말했다.

"이번에 집에서 올 때는 정말 힘들었어."

"할머니가 미안하다면서 눈물까지 글썽이더라, 봤어?"

솔 언니가 울 것 같은 표정으로 설 언니에게 말하자, 설 언니도 비슷한 표정이 되었다.

"할머니한테 뭐가 미안하냐고, 울지 말라고 말하는데 내가 다 눈물이 났어."

그러면서 둘 다 성적이 많이 올랐다. 김선아 선생님과 최성아 선생님은 설과 솔 언니의 성적에 놀라워하며 정서와 성적이 확실히 관련이 있는 것 같다고 이야기를 나누었다. 나도 아빠가 돌아와서 설, 솔 언니처럼 행복해지면 공부를 잘할 수 있으려나.

그래도 나는 언니들이 아빠와 함께 가지 않았으면 좋겠다고 생각했다. 하지만 둘은 정말 행복해 보여서 이제는 나도 선생님들도 둘을 말릴 구실은 없었다. 언니들도 언니들의 아빠도 희망을 갖고 최선을 다하면 좋은 결과가 있지 않을까. 마침내 언니들의 퇴소가 다가왔고 나와 김선아 선생님은 집 근처 가까운 역 앞에서 언니들을 배웅하기로 했다. 김선아 선생님은 내게 집 앞까지만 배웅하고 역까지는 나오지 말라고 했지만 내가 끝까지 배웅하고 싶다고 했다. 언니들은 가진 것 중에 가장 아끼는 옷을 입고 각자 트렁크를 끌었다. 설, 솔 언니의 검은 트렁크에는 내가 붙여 준 스티커도 붙어 있었다. 트렁크 안에는 언니들이 아끼는 물건들과 옷, 그리고 선생님들과 내가 함께 준비한 이별 선물이 들어 있었다.

설과 솔 언니의 아빠는 비싸 보이는 검은색 세단을 타고 아이들을 데리러 왔다. 하늘엔 구름 한 점 없었다. 둘은 지금까지 본 적 없이 밝게 웃었다. 나는 그날 그를 처음 봤다. 그의 고성과 깨뜨리고 부수는 소리를 수도 없이 들었고 해서 언니가 미친놈이라는 별명으로 부르는 것도 들었지만 얼굴을 직접 마주한 것은 처음이었다. 그를 발견한 언니들은 누가 먼저랄 것도 없이 아빠라고 외치며 달리기 경주라도 하는 것처럼 달려나갔다. 트렁크 바퀴가 바닥을 구르며 요란한 소리를 내었다. 나와 김선아 선생님은 달려가는 설, 솔 언니의 뒤를 따라 느리게 걸었다.

"그동안 설이, 솔이 제 딸들을 이렇게 예쁘게 잘 키워 주셔서 정말 감사합니다."

그는 김선아 선생님을 향해 고개 숙여 인사했다. 갑자기 꾸벅 몸을 숙이는 행동에 김선아 선생님이 흠칫했다가 아, 네. 감사합니다 하고 웃으며 대답했다. 어쩐지 어색해 보이는 웃음이었다. 저 사람의 다른 모습을 알기 때문일까. 그가 내 쪽으로 가까이 다가오며 설이, 솔이에게 얘기 많이 들었다고 말했을 때 김선아 선생님이 순간적으로 내 앞으로 서면서 나를 뒤로 미는 바람에 나는 얼떨결에 선생님 뒤쪽에 서게 되었다. 나는 넘어지지 않게 뒤뚱거리며 중심을 잡아야 했다. 그런 선생님의 움직임이 이상하지도 않은지 그는 서글서글하게 여유 있는 미소를 지으며 근처에 아이들과 함께 갈 만한 돈가스집이 있는데 함께 점심 식사를 하겠느냐고 물었다. 김선아 선생님은 다음 일정이 있다는 이유로 정중히 거절했다. 오늘은 설, 솔 언니를 배웅하는 것 외에는 아무 일도 없었지만 나도 그와 함께 밥을 먹고 싶지 않았기 때문에 모른 척했다. 그는 정말로 애석하다는 듯이 그것참 아쉽게 되었다고, 언제 한번 꼭 식사를 대접하겠다고 사람 좋게 웃었다. 선생님은 굳은 표정으로 그럼 안녕히 가시라고 말한 뒤 셜, 솔 언니들에게도 잘 가라며 작별 인사를 했다. 그는 정말 자상한 아빠처럼 트렁크를 차 뒤에 싣고, 언니들을 차에 태우고서 손수 문을 닫아 주었다. 창문이 내려가고 차 안의 셜, 솔 언니의 웃는 얼굴이 보였다. 둘은 내게 손을 흔들었다. 자주 놀러 올게. 선물 고마워. 나도 두 언니에게 손을 흔들었다. 마침내 차가 떠났다. 옆에서 안도하는 것 같은 한숨 소리가 들렸다. 역 앞에는 경찰서가 있었다. 하지만 그가 무슨 일을 저지르고 하하 아무 일도 아닙니다 하고 사람 좋게 웃어넘기면 경찰이 그대로 믿어 버릴 것 같았다. 셜, 솔 언니가 그룹홈을 떠나고 어떻게 알았는지 해서 언니에게 연락이 왔다. 언니는 그 미친놈 얼굴 봤느냐고, 대박이라며, 무섭게 생겼는지 물었다. 나는 하나도 안 무섭게 생겼다고, 오히려 좋은 아빠 같았고 셜, 솔 언니들이 정말 행복해 보였다고, 이상하게 들리겠지만 그런 점이 너무 무서웠다고 답장했다.

*

솔 언니는 소주 한 잔을 단숨에 비우고서 다시 잔에 소주를 넘칠 만큼 붓더니 한 번 더 쭉 들이켰다. 아빠도 할머니 얘기를 하기 전에 잔에 술을 가득 부어 단숨에 마시곤 했었다. 그렇게 시작한 이야기는 몇 번이고 반복되었다. 그 이야기는 아빠가 죽을 때까지 이어졌을까. 지금은 알 길이 없지만 만약 그랬다 하더라도 들어 줄 사람은 없었겠지. 쓸쓸했던 장례식장이 떠올랐다. 나는 솔 언니가 속상한 말을 시작하리라는 걸 알았다. 어쩌면 그 얘기는 솔 언니도 술을 마실 때마다 평생 반복하게 될지도 몰랐다. 나도 술을 마시면 그렇게 될까. 그렇다면 나는 무슨 이야기를 반복하게 될까.

"아빠는 감옥에 갔어."

"그랬구나."

그 사람은 감옥에 갔구나. 나는 놀라지 않았다. 하지만 다음에 이어질 말을 기다리는 건 어쩐지 겁이 났다. 나는 소주병을 물끄러미 바라보았다. 저걸 마시면 두려움을 피할 수 있을까. 그럴 리가 없지. 나는 고개를 들어 솔 언니를 마주 보았다. 솔 언니는 잠시 소주잔에 입을 댔다가 얼마 마시지도 않고 잔을 다시 내려놓더니 말했다.

"할머니는 그 일이 있고 치매가 와서 다시 요양원으로 가셨어."

"그렇구나."

나는 덜 심각한 얘기에 안심했다. 솔 언니는 뚝배기 안에 담긴 부드러운 순두부를 숟가락으로 쪼개었다. 새하얀 순두부가 빨간 국물 안에서 잘게 부서졌다. 나는 계란말이를 숟가락으로 반으로 잘라 흰쌀밥 위에 올려 먹었다. 솔 언니는 흰쌀밥에

으깬 순두부를 얹어 입 안에 넣었다. 솔 언니는 우물거리며 말했다.

"나는 그때는 정말 몰랐거든. 왜 그렇게 선생님들이 우리를 뜯어말리는지. 사실 별로 알고 싶지 않았는지도 몰라. 내가 믿고 싶은 대로 믿었던 거지."

나는 계란말이와 밥을 대충 씹어 꿀꺽 삼키고 말했다.

"그때는 다들 잘 살 거라고 믿었어. 선생님들도 그래서 언니들 보내 준 거고."

나는 솔 언니의 다음 말을 기다렸다. 일어난 일은 되돌릴 수가 없으니 들어야 했다. 나는 생각보다 담담했다. 솔 언니에게 전화를 걸 때부터 이런 대화를 나누게 될 줄 알고 있었던 것만 같았다. 솔 언니는 다시 잔에 술을 채웠다. 술을 따라 줘야 할까 하는 생각이 들었지만 솔 언니가 혼자 술을 마시는 것에 익숙해 보이는 데다 술을 따르기도 싫어서 그만두었다.

"그런 희망이 설을 죽였어."

나는 숟가락을, 솔 언니는 잔을 내려놓았다. 밥그릇 쪽으로 고개를 숙인 솔 언니의 얼굴이 잘 보이지 않았다. 나는 어떤 표정도 만들지 않아도 되어서 다행이라고 생각했다. 솔 언니는 나만 들릴 정도의 작은 목소리로 말을 이었다. 웅얼거리는 솔 언니의 목소리가 멀게 들려서 나는 솔 언니 쪽으로 몸을 기울였다.

"처음에는 좋았어. 아빠가 하던 일도 잘 풀렸고 좋은 일만 있을 줄 알았지. 그런데 일이 바빠지고 아빠가 사람들이랑 어울리게 되면서 다시 술을 입에 대기 시작하더라. 아빠는 밖에서는 멀쩡하게 술을 마시고 집에만 오면 돌변했어. 설이 전에 신고를 해서 그런지 술만 먹으면 자꾸 설한테 시비를 걸더라. 설은 자기만 참으면 된다고, 나한테 신고하지 말라고 했어. 신고하면 다시 흩어져서 살아야 하는데 그러기 싫다고. 우리는 가족이니까 한 번만 더 용서해 보자고. 다음 날이면 아빠가 울면서 잘못했다고, 앞으로 다신 안 그러겠다고 비니까 설의 말이 맞는 것 같았어. 아니, 내가 그렇게 믿고 싶었던 거지. 이건 너한테 처음 말하는 건데, 아빠가 술을 마시고 들어온 다음 날이면 이상하게도 설과 내가 싸우게 됐어.

그날도 그런 날이었어. 나는 그날 처음 설과의 싸움에서 이겼어. 설이 먼저 말했어. 너는 신고를 하지 않았기 때문에 자기 마음 모른다고. 나랑 할머니가 맞아 죽어도 너는 결국 신고를 안 할 거라고. 평소였으면 할 말이 없어져서 미안하다고 하고 말았을 텐데 그날따라 그 말이 정곡을 찔러서 너무 억울하고 화가 나더라. 네가 신고를 했으니까 아빠가 저러는 거 아니냐고 도리어 화를 냈지. 설은 아무 말도 못 했어. 나는 진심으로 그렇게 생각한 적은 한 번도 없었거든. 그런데 왜 그런 말이 나왔을까. 예전에도 싸움 중에 그 말을 할까 떠올린 적은 있었지만 정말 그렇다고 생각한 적은 없거든. 그런 생각은 하지도 말걸. 설이 한 말이 틀린 것도 아니잖아. 나는 아빠가 설에게 신고한 걸로 자꾸 뭐라고 하는 게 무서웠어. 신고한 게 내가 아니라 설이라서 다행이라고 내심 생각했었어. 나는 아빠한테 미움받고 싶지 않았거든. 그래서 예전처럼 설이 아빠를 다시 신고해 주길 바란 거 같아.

심한 말을 한 다음이라 그런지 설이 얼굴 보는 게 불편하더라. 괜히 집 밖으로 나가서 한참을 걷다가 베이커리에 들러서 케이크를 샀어. 그러고 나서 집 주변을 두 바퀴나 돌고 집에 들어갔는데 현관 바닥에 설과 할머니가 있었어. 그사이에 아빠가 집에 와서 난동을 부린 거였어. 설이 아빠가 칼을 들고 위협하는 걸 말리려다 넘어지면서 머리를 부딪쳤다고 했어. 할머니는 설이 바닥에서 일어나지 못한다고 울기만 하더라. 나는 그제야 119에 신고를 했어. 아빠는 근처 모텔에서 만취해서 자고 있다가 경찰에 잡혀 왔고 다음 날이 돼서야 상황을 안 것 같았어. 구급차라도 불러 주지. 아니, 내가 설에게 더 빨리 갔어야 했는데. 왜 나는 마지막까지 이렇게 멍청한 걸까. 내가 죽었어야 했는데."

"설이 언니가 죽었구나."

설 언니는 이제 없다. 솔 언니에게 했던 것처럼 전화를 걸 수도 없다. 설 언니는 죽었다. 아빠도 죽었다. 나는 죽음에 대해 생각했다. 영원히 없어지는 것. 전화번호도 없는 것. 미움뿐이어도 죽는 것보다는 산 게 낫다. 내 옆엔 없어도 어딘가에는 있는 게 낫다.

숟가락이 뚝배기 바닥을 긁는 소리가 났다. 우리는 말 없이 먹었다. 밥이 너무 잘 지어져서. 밥알이 한 알 한 알 느껴지면서도 찰기가 있어서. 팔팔 끓은 뚝배기 안의 순두부가 너무 부드럽고 뜨거워서. 순두부찌개 안의 달걀노른자가 적당히 익어서. 계란말이는 부드럽고 알맞게 짭조름했고 나물 반찬은 신선하고 들기름 향이 나서 좋았다. 솔 언니는 나물 반찬을 번갈아 가며 하나씩 맛보고 있었다. 좋아도 되는 걸까. 맛이 있다는 감각이 지금 우리에게는 어울리지 않는 것 같아서 이상했지만 주인의 마음과는 다르게 혀는 제 할 일을 한다. 그릇은 곧 하얀 바닥을 드러냈다. 우리 많이 배고팠나 보다. 솔 언니는 어색한 웃음을 지으며 말했다. 마지막 잔을 비운 솔 언니가 말했다.

"가자."

"벌써?"

내가 물었다.

"응. 취하기 싫어."

솔 언니의 얼굴은 사이다를 마신 내 얼굴처럼 아무 변화도 없었다. 주변의 아저씨들도 소주 한 병을 마지막으로 주섬주섬 짐을 챙겨 자리를 떠났다.

"취하지도 않을 거면서 술을 왜 마셔?"

야간 알바생들은 밤새도록 술을 마셨기 때문에 나는 솔 언니와의 시간이 아직 많이 남았다고 착각하고 있었다. 갑자기 닥친 헤어짐에 당황한 내가 가게를 나서려는 솔 언니를 붙잡고 말했다.

"2차 갈까."

솔 언니가 어이없다는 표정으로 나를 보며 말했다.

"술도 안 마시면서."

"마셔 볼까."

솔 언니는 됐다며 손사래를 쳤다.

"안 마신다며."

다시 카페에 가기도 애매했다. 배가 너무 불러서 물이든 커피든 더 들어갈 것 같지 않았다. 집에 가기 싫어 이러지도 저러지도 못하는 나를 보던 솔 언니가 잠시 뜸을 들이다가 말했다.

"내 집에 갈래?"

솔 언니에게 연락하고 함께 밥을 먹고 언니의 집에서 자는 것은 어제까진 상상도 못 한 일이었다. 아니, 불과 몇 시간 전 미용실 앞에서도 생각 못 한 일이라 나는 들떴다. 설레는 발걸음에 내가 술을 마신 사람이 된 것 같았다. 진짜 술을 마신 솔 언니가 오히려 가라앉아 보였다. 설 언니를 떠올리는 걸까. 묻지 않아서 정확히 알 수 없지만 그런 것 같다. 들떴던 기분이 조금 가라

앉았다. 솔 언니의 집은 식당 근처에 있었다. 지하철역이 있는 대로변 안쪽으로 가로등 불빛이 닿지 않는 골목 사이를 지나서 십 분 정도 걸렸다. 엘리베이터가 없어 3층까지 걸어 올라가야 한다고 했다. 건물 바깥으로 계단이 이어져 있었다. 계단은 높고 난간이 낮아서 나는 건물의 벽에 바짝 붙어 계단을 올랐다. 솔 언니는 익숙하게 앞장섰다.

"들어오는 게 불편해서 집을 싸게 얻었어. 이사할 때도 조금 고생하긴 했지."

골목 끝 주황색 가로등이 계단을 비춰 주어서 다행이라는 생각이 들었다. 솔 언니가 소주를 한 병만 마시는 건 계단 때문일지도 모른다. 도어 락 비밀번호를 누르는 소리와 함께 문이 열렸다. 솔 언니는 겉옷을 테이블 옆 1인용으로 보이는 작은 의자에 걸었다. 집 안은 잡동사니들로 조금 어수선했지만 생각보다 아늑했다. 솔 언니는 여기에 누가 올 거라고 생각한 적이 없다며 바닥에 어질러진 옷가지와 잡동사니들을 빠르게 줍고 한쪽으로 밀어 두었다. 내 집이 더 더러워. 명함을 찾느라 엉망이 된 집이 떠올랐다. 솔 언니를 따라와서 여러모로 잘됐다는 생각이 들었다. 그룹홈에서 지낼 때 정리 정돈을 잘하는 아이는 없었다. 방을 치우고 이를 닦고 머리를 감는 문제로 사회 복지사들과 아이들은 늘 말씨름을 했다. 거기에 공부랑 숙제까지 합치면 크고 작은 실랑이가 하루 종일 이어졌다. 한 아이가 잘하면 다

117

른 아이가 말썽이었다. 씻고 나온 지 얼마 안 돼서 안 씻어도 된다는 내게 솔 언니는 갈아입으라고 사이즈가 넉넉한 티셔츠와 바지를 주고는 씻는다며 화장실로 들어갔다.

나는 솔 언니가 준 옷으로 갈아입고는 테이블 앞의 의자에 앉았다. 테이블 위에는 설과 솔 언니 둘이서 찍은 사진이 있었다. 사진은 작은 테이블에 올려놓을 수 있게 일부러 작게 인화해서 액자에 넣어 둔 것 같았다. 예전에 설과 솔 언니의 방에도 사진이 있었다. 설, 솔 언니가 아빠와 함께 찍은 사진이었다. 화장실에서 물건을 들었다 내려놓는 소리가 몇 번 나더니 샤워기 물이 바닥에 떨어지는 소리가 들렸다. 해서 언니는 그 사진을 많이 부러워했는데 이제서야 그 마음이 이해가 되었다. 영정 사진이라도 찍어 둘걸 그랬나. 나는 기억 속으로 완전히 사라져 흐릿해진 그 얼굴을 떠올려 본다. 솔 언니는 설 언니의 얼굴을 떠올리기 위해 애쓰지 않아도 될까. 사진 속 무척이나 닮은 두 얼굴을 보며 이상하게도 화장실에 혼자 있는 솔 언니가 걱정되었다. 화장실 문이 열리고 솔 언니가 젖은 머리를 수건으로 둘둘 말아 올리고는 나왔다. 화장기 없는 언니의 얼굴이 창백해 보였다.

"편하게 있지. 지금 이불을 꺼내 줄게."

솔 언니는 옷장 안에 개어 놓은 이불과 베개를 안고 나왔다. 솔 언니가 들고 나온 이불은 침대 위에 놓인 이불과 세트인 것 같았다.

"설이 썼던 거야. 다른 건 다 태우고 이것만 남았어. 못 버리 겠더라고. 빨았는데도 설이 냄새가 나는 것 같아."

솔 언니는 이불을 꼭 끌어안으며 말했다. 나는 의자에서 내려와 솔 언니가 깔아 준 이불 위에 앉았다. 솔 언니가 준 이불과 베개에 코를 대고 냄새를 맡았지만 섬유 유연제 냄새와 옷장 냄새가 섞인 향이 날 뿐이었다. 두 이불 앞에 멀뚱히 앉아 있는 나를 보더니 솔 언니는 티브이를 틀고는 의자에 앉아 머리를 말렸다. 드라이기 소리에 티브이 소리는 하나도 들리지 않았다. 머리를 다 말린 솔 언니가 불을 껐다.

"벌써?"

"벌써라니. 이제 11시야. 나는 내일 일하러 가야 해."

솔 언니는 그렇게 말하고는 침대에 가서 누웠다. 언니는 밤이 되면 아이들이 싫어하는데도 소등을 하던 사회 복지사 같았다. 티브이 화면이 방 벽을 비춰 화면이 바뀔 때마다 방 안의 색도 바뀌었다.

티브이에서는 연예인 아빠와 자녀가 함께 나오는 프로그램이 나오고 있었다. 아이가 어릴 때부터 드라마와 영화 촬영을 하느라 함께 있을 시간이 부족했다고 털어놓는 어느 연예인의 인터뷰로 프로그램은 시작되었다. 그동안 그가 출연했던 드라마와 영화 영상이 나오면서 패널들은 진짜 남자라며 그의 카리스마 넘치는 연기에 호응했다. 연기할 때의 모습과는 달리, 아

119

이들과 함께 있는 그의 모습은 왠지 자신감이 없고 어색해 보여서 반전이라는 자막이 쓰였다. 유명한 놀이 치료사가 나와서 모니터링을 하며 아이의 상태를 체크하고 솔루션을 주었다. 아이는 다음 영상에서 달라진 아빠의 행동에 밝게 웃고 있었다. 하지만 스튜디오에서 그 영상을 시청하던 그 연예인은 뭐가 그리 속상한지 눈물을 쏟았다. 좀처럼 진정하지 못하는 그의 모습에 패널들도 당황해서 괜찮냐, 괜찮을 거다 하는 위로와 덕담을 앞다투어 던졌다. 실제 상황이라며 녹화를 잠깐 중단했다가 진행한다는 자막이 추가되었다. 뒤이어 영상에는 조금 진정된 모습의 배우와, 심각하게 보이지 않으려는 듯 과장되게 웃으며 긍정적인 말을 덧붙이는 프로그램 진행자, 애써 밝게 웃는 패널들, 다시 억지웃음을 짓는 배우의 모습이 차례로 클로즈업되었다. 솔 언니가 리모컨으로 채널을 돌렸다. 돌린 채널에서는 아까 울던 아저씨가 안정되고 담담한 어조로 상조회사 광고를 하고 있었다.

"티브이 보다 잘 거야?"

솔 언니가 내게 물었다.

"아니."

내 말이 끝나기가 무섭게 솔 언니는 티브이를 껐다. 방이 어두워졌다. 모든 불이 꺼지자, 창문을 통해 주황색 가로등 불빛이 방 안으로 들어왔다. 나는 방 안을 가득 채운 주황을 바라보았다. 창문에서부터 시작한 주황은 차츰 어두워져 그 끝은 완전한 검정처럼 보였다. 어디서부터 어디까지가 빛인지, 어디부터 어둠이 시작되는지 확실하지 않았다. 나는 그 경계를 한참을 보고 또 보았다. 잠이 오지 않았다. 일을 그만두고도 나는 2시가 넘어서야 잠들곤 했다. 핸드폰으로 시간을 확인하니 아직 12시밖에 되지 않았다. 잠이 오기에는 이른 시간이었다. 솔 언니가 침대에서 뒤척이는 소리가 들렸다. 언니도 잠이 오지 않는 걸까.

"자?"

"아직."

"아까는 갈 곳도 없고 연락할 데도 없었는데 지금은 이렇게 같이 누워 있으니까 정말 이상해."

"나도 너한테 전화 온 게 너무 이상해서 바로 받았잖아."

"다행이다."

솔 언니가 전화를 받아서 다행이다. 언니는 그렇게 생각하지 않는 것 같았지만 나는 솔 언니라도 살아서 다행이라고 생각했다. 아까 수원역에서 솔 언니가 전화를 받지 않았다면. 그다음은?

"나 좀 자기중심적인 거 같아."

"어릴 때부터 좀 그랬잖아."

솔 언니가 바로 동의할 줄은 몰랐기에 나는 조금 당황했다.

자기중심적이라는 말은 이기적이라는 말과 함께 자기만 생각하는 사람에게 쓰이는 말이니까. 내가 스스로를 자기중심적이라고 말하는 것과 솔 언니가 내게 자기중심적이라고 말하는 것은 다르다.

"내가 어디가 자기중심적인데?"

"자기가 말해 놓고 왜 화내는데."

그룹홈에서 지낼 때 싸움이 나면 지는 역할은 보통 나였다. 해서 언니와 설, 솔 언니는 절대 지려고 하지 않아서 설, 솔 언니와 해서 언니의 싸움에 내가 양보를 하는 이상한 상황도 있었다. 선생님들도 내가 양보하기를 은근히 바라는 것 같았다. 참 착하다는, 어른스럽고 의젓하다는 칭찬과 함께 선생님들의 고맙다는 말이 그런 행동을 강화시켰다. 그래서 나는 솔 언니의 말이 서운하고 억울했다. 그런 내 마음을 읽었는지 솔 언니가 웃으며 말했다.

"나쁜 뜻으로 한 말은 아니야. 네가 어렸을 때 그랬잖아. 우리 잘못 아니라고, 다 아빠가 잘못했다고. 너만 아빠 탓을 하니까 그렇게 생각했지."

해서 언니도 그랬다. 나랑 싸울 땐 내 잘못을 귀신같이 찾아내는 해서 언니는 정작 엄마와의 관계에서는 끊임없이 자기 잘못을 찾았다.

"아빠를 바꾸는 것보다 나를 바꾸는 게 내가 할 수 있는 일이

니까 나한테 이유가 있다고 생각하는 게 쉬웠어. 그게 우리한테
는 희망이었고."

설 언니도 같이 천장을 보고 누울 수 있었으면 좋았을걸. 나
는 몸을 뒤척거리며 솔 언니 쪽으로 몸을 기울였다.

"내가 좀 더 일찍 연락했으면 상황이 달라졌을까. 언니들은
무서워서 신고 못 했어도 나는 신고할 수도 있잖아."

전화하면 나 때문에 무슨 일이 생길 것 같아서 나는 설, 솔 언
니에게 연락하기가 두려웠다.

"그래 봤자 그때 너 고등학생이었어."

설, 솔 언니가 그룹홈을 나가고 시간이 좀 흐른 어느 날 김선
아 선생님이 전화를 받고 사색이 된 적이 있었다. 선생님의 얼
굴에는 여러 가지 감정이 섞여 있어서 그게 어떤 표정이라고 설
명할 수 있는 말이 내게는 없었다. 평소 밝은색의 옷만 주로 입
던 선생님이 위아래로 검은 옷을 입었던 기억이 났다. 그날이었
을까. 선생님은 내게 아무 말도 하지 않았고 나도 아무것도 묻
지 않았다. 모른 척하면 없는 일이 될 줄 알았니. 내 안의 내가
묻는다.

"너 때문이 아니야. 잘못한 사람은 아빠지 네가 아니야."

솔 언니의 목소리는 크지 않았지만 힘이 있었다.

"맞아. 잘못한 사람은 그 사람이지 언니가 아니야."

내 목소리도 솔 언니의 목소리처럼 힘 있게 들리길 바랐다.

솔 언니는 대답이 없다. 대답을 기다리다가 솔 언니의 고른 숨소리를 듣고서 나도 잠이 들었다.

잠자리가 바뀌어서 그런지 평소보다 일찍 잠에서 깼지만 솔 언니는 벌써 출근하고 없었다. 핸드폰을 확인한다. 메시지가 세 통 들어와 있었다. 급하게 메시지를 확인하는데 해서 언니가 아니라 솔 언니였다.

> 어제 만나서 좋았어 8:55

> 내 얘기 들어 줘서 고마워 8:55

> 냉장고에 보면 샌드위치랑 우유 있어 먹어도 돼 8:56

솔 언니의 말대로 냉장고에는 우유와 샌드위치가 있었다. 별로 배가 고프진 않아서 먹지 않고 냉장고 문을 닫았다. 내가 사용한 설 언니의 이불을 개어서 옷장에 넣었다. 씻을 때 사용한 수건과 입었던 옷은 한군데에 모아 두고 내가 남긴 흔적들을 정리했다.

> 이제 집에 가 11:58

솔 언니에게 집에 간다는 문자를 보내고 신발을 신었다. 솔 언니가 내게 고맙다고 한 문자를 몇 번이고 읽다가 보낼까 말까 고민하던 문자를 보냈다.

> 나도 어제 전화받아 줘서 고마워!! 12:06

메시지를 전송하고서 왠지 팔이 근질거리는 것 같아 위아래로 벅벅 긁었다. 문을 열고 나가니 정오의 햇볕이 강하게 내리쬐었다. 한밤에 가파르던 계단은 지난밤처럼 위협적으로 느껴지지 않았다.

집에 돌아온 나는 해서 언니의 흔적을 찾기 위해 뒤집었던 집을 원래대로 되돌렸다. 정리가 다 끝났는데 해서 언니는 아직도 답이 없다. 답답한 마음에 솔 언니에게 메시지를 보냈다.

> 해서 언니 어떡하지ㅠㅠ 15:02

> 먼저 연락 ㄴㄴ 나는 연락이 끊기고서 한참 후에야 다시 연락 옴 15:25

> ㅇㅋㅇㅋ 아라씀 15:27

나는 해서 언니에게 당장 연락하고 싶었지만 당분간은 연락하지 말고 기다려 보라는 솔 언니의 조언을 따르기로 했다.

솔 언니를 만나고 온 뒤 나의 일과는 한결같았다. 병원에서 받은 약을 먹고 해서 언니에게 메시지를 보내고 싶은 마음은 참았다. 대신 솔 언니와 자주 연락했다. 솔 언니는 아침 9시에 출근해서 저녁 6시에 퇴근했고 저녁 6시 반에 백반집에서 밥과 함께 소주 1병을 먹었다. 솔 언니를 만나고 싶으면 저녁 시간에 맞춰서 이수역에 가면 되었다. 솔 언니는 야근을 한다거나 특별히 바빠지는 일을 맡는 것 같지는 않았다. 언젠가 언니에게 회사에 대해 물어 보자 회사에서 중요한 일을 자기한테 맡기지는 않는다고, 가장 막내라서 여러 가지 잡다한 일을 하고 있다고 했다. 솔 언니는 자신이 일을 하고 있고 나는 쉬고 있다며 밥을 사 줘서 좋았다. 맨날 얻어먹는데도 솔 언니는 내가 갈 때마다 반겨 주었다. 솔 언니는 새로운 곳을 찾아다니는 걸 별로 좋아하지 않는다고, 한번 가서 좋은 곳을 계속 간다고 했다. 솔 언니는 살아 있는 것만도 피곤하다고 하면서도 백반집 메뉴를 다양하게 구성해서 맛있게 먹었다. 나는 내가 해서 언니보다는 솔 언니와 비슷하다고 생각했다가 솔 언니가 매일 아침 출근한다는 걸 떠올리고 생각을 바꾸었다.

그래도 어릴 때는 잘 돌아다니지 않았어? ㅋㅋㅋ 13:01

그건 내가 아니라 설이 그랬지 13:30

그날 이후로 솔 언니는 종종 설 언니에 대한 이야기를 했다. 대화는 생각보다 무겁지 않았고 자연스럽게 진행되었다. 설 언니에 대한 나와 솔 언니의 공통된 기억이 우리를 설 언니가 살아 있던 과거로 돌아가게 했다. 슬펐지만 슬프기만 한 건 아니었다. 나는 솔 언니에 대해 잘 모르고 있었다. 설 언니에 대해서도 마찬가지였다. 둘은 혼동되었다. 그룹홈에서 늘 함께 다녔기 때문에 둘 다 취향이 비슷할 거라고 생각했는데 아니었나 보다. 설 언니는 새로운 걸 찾아 이곳저곳을 돌아다니는 걸 좋아했고 솔 언니는 설과 같이 다니는 게 좋았다고 했다. 나도 인스타그램에서 유명한 식당에 가고 싶었던 게 아니라 해서 언니를 만나는 게 좋았던 것 같다고 생각했다.

두 달이 넘어가는데도 해서 언니에게선 아무 연락이 없다. 솔 언니와는 해서 언니한테 연락이 올 때까지 먼저 연락하지 않기로 했지만 이 주가 넘어가는 시점에 나는 참지 못하고 통화버튼을 눌렀다. 내가 못 참고 먼저 전화를 하는 바람에 해서 언니의 연락이 완전히 끊겨 버린 걸까. 솔 언니는 자책하는 나에게 너도 연락만 기다리지 말고 알바라도 시작해 보라며, 일을 시작해야 시간이 빨리 간다고 했다. 그사이에 나는 병원에서 두 번째 약을 받았다. 약을 한 달 먹고서도 월경이 돌아오지 않자 의사는 같은 약을 한 번 더 처방하며 꾸준히 복용할 것을 당부했다. 나는 의사의 말이 끝나자마자 해서 언니가 병원에 왔는지 물었다. 의사는 언니가 얼마 전에도 다녀갔고 정기 검진도 받는다고 했다. 해서 언니도 나의 안부를 물었다는 말을 듣고 다시 연락해 보았지만 언니에게선 답장이 오지 않았다.

만나기만 하면 해서 언니가 연락을 받지 않는다고 푸념하는 내게 솔 언니는 해서 언니와 지금까지 연락이 끊어진 적은 없었는지 물었다. 나는 솔 언니의 말에 해서 언니와 주고받은 메시지 내용을 쭉 살펴보았다. 두 달간 이어진 나의 독백을 한참 거슬러 올라가니 해서 언니와 병원에 가기로 한 날에 닿았다. 해서 언니와 꾸준히 연락을 주고받은 것은 해서 언니가 임신한 걸 알고 난 요즘의 일이었다. 이전의 연락은 뜨문뜨문 이어졌고 내가 답을 하지 않는 것으로 끝이 났다. 다시 해서 언니에게 연락이 올 때까지는 최소 이 주부터 최대 육 개월의 시간이 걸렸다. 그렇게 일 년 동안 딱 두 번 연락을 주고받은 적도 있었다. 그렇게 오래 시간을 보내고서도 나는 단 한 번도 먼저 연락한 적이 없었다. 답이 없으면 이렇게 불안한데도 먼저 답을 하지 않았던 걸까. 나는 해서 언니에게 뭐라고 할 자격이 없다. 해서 언니는 늘 똑같았고 지금도 똑

같을 뿐이다. 나는 언니와 나의 사이가 육 개월만큼 벌어져도 알아차리지 못했다. 아마 더 오랜 시간이 지나도 몰랐을 거였다.

열이 나는 것 같았다. 화장실에 가고 싶지 않은데도 배가 아팠다. 아침에 허리가 조금 찌뿌둥하더니 지금은 끊어질 것 같았다. 나는 침대 위에서 눕지도 앉지도 못하고 몸을 폈다 구부렸다 뒤척이며 가장 아프지 않은 최적의 자세를 찾아 몸을 구부리고 누웠다. 이마와 등줄기로 식은땀이 흘렀다. 조금 전까지만 해도 해서 언니와 연락이 안 돼서 신경 쓰였는데 몸이 아프니까 아무 생각도 나지 않았다. 그저 아프지만 않다면 다른 건 어떻게 돼도 상관없을 것 같았다. 고통은 줄어들지 않았다. 혹시 모르니까 화장실에 갔다. 변기에 앉았는데 팬티에 검은 피가 말라붙어 있었다.

화장실에서 나와 솔 언니에게 전화를 걸었다. 솔 언니는 전화를 받지 않았다. 아직 근무 시간이었다. 해서 언니에게 메시지를 보냈다. 팬티에 검은 피가 묻었다고. 아프다고. 의사가 처방해 준 약을 먹고 나면 평소와 다르게 컨디션이 좋지 않았다. 해서 언니가 임신을 하지 않았더라면, 함께 병원에 가지 않았더라면, 나는 해서 언니와 더 가까워지지도 멀어지지도 않았을 텐데. 나는 죽을병에 걸린 걸까. 해서 언니에게 보낸 메시지의 1이 사라졌다.

5장

"원 플러스 원 행사 상품입니다."

바코드를 찍자 인위적인 기계음이 울려 퍼졌다. 손님은 다시 매대로 돌아가 같은 제품을 하나 더 들고 와 계산대 위에 올려 놓았다. 진통제와 손님이 추가로 들고 온 생리대의 바코드가 차례로 찍혔다.

"봉투 드릴까요."

"됐어요."

손님은 가방에서 검정 비닐봉지를 꺼내 생리대 두 팩과 진통제를 담았다. 비닐봉지 밖으로 과자 봉투와 우유갑의 실루엣이 보였다. 맞은편 편의점에서 간식거리를 사고 여기서는 생리대를 사는 것 같았다. 창백한 안색에 아파 보이는 표정이 남 일 같지 않았다. 맞은편 편의점에선 남자 알바생이 일하고 있을 시간이었다. 편의점에서 알바를 시작한 뒤로는 다른 편의점에 누가 있는지 유심히 보게 되었다. 애를 낳을 것도 아닌데 매달 아파가며 꼭 생리를 해야 하는 걸까. 또 한소리 들을 게 뻔하니까 의사 앞에서 그런 말을 하진 않았지만 나는 여전히 그렇게 생각했다. 특히 생리를 시작하고 나자 더욱 그런 생각이 들었다. 좀 더 나중에 치료를 받았다면 평생 생리하는 날 중 하루라도 줄일 수 있었을 텐데. 시작하기 일주일 전부터 기분이 좋지 않았고 특히 첫날엔 많이 아팠다. 의사는 아직 과도기이기 때문에 그럴 수 있다고, 지켜보자고 했지만 언제까지 아프냐는 나의 질문에는 대답해 주지 않았다. 아마 의사도 모르는 거겠지. 건강했던 나는 병원에서 준 약을 먹고 불치병에 걸린 사람이 된 것 같았다. 익숙한 실루엣의 남자가 편의점 안으로 서둘러 들어왔다. 교대는 자주 늦었다. 그가 가쁜 숨을 몰아쉬며 말했다.

"죄송해요."

"다음엔 일찍 와 주세요."

교대하는 알바생은 스무 살 정도 되어 보이는 남자였다. 명찰을 달고 있었기 때문에 이름은 알았지만 정확한 나이는 몰랐다. 편의점 점장이 야간 알바로 남자를 선호했기 때문에 그가 야간이 되었고 내가 오후가 되었을 뿐이다. 오후에서 야간으로 이어지는 교대 시간에 그가 매번 늦는 바람에 나는 기다려야 했다. 약속 시간에 자주 늦는 해서 언니 탓에 기다림엔 익숙했지만 교대 시간은 시급에 포함되지 않으므로 그가 계속 늦는 것은 곤란했다. 나는 시간을 꼭 맞춰 달라고 다시 한번 당부하고는 믿음이 가지 않는 대답을 뒤로하고 편의점을 나섰다. 편의점 알바는 전집만큼 돈이 되지는 않았지만 전집만큼 힘들지도 않았다. 오후 2시에 시작해 10시면 끝이. 나는 근무 시간은 전에 비해서 짧게 느껴질 정도였다. 진상 손님도 있었지만 밤새 술에 취한 손님에 비교할 건 아니었다. 다만 야간이 시급을 더 쳐주는데 성실하지도 않은 남자 알바생에게 자리를 뺏긴 게 아쉬웠다. 솔 언니의 말대로 일을 하는 건 오지 않는 해서 언니의 연락을 잊는 데 도움이 되었다. 월경을 시작하던 날 이후 나는 해서 언니에게 다시 연락하지 않았다.

일을 마치고 집에 돌아와 여느 때처럼 침대에 누워 쉬는데 솔 언니에게 연락이 왔다. 자기 전 내 퇴근 시간에 맞춰서 문자를 보낸 거였다. 늦은 시간이지만 잠들기 전에 누군가와 소소하게 메시지를 주고받을 수 있다는 점도 오후 알바의 좋은 점이었다. 다시 생리를 시작했다는 내 말에 솔 언니가 몸은 좀 어떻냐고 물었다. 초경 이후 오랜만에 생리를 시작해서 어찌할 바를 모르는 내게 솔 언니는 밤에 쓰는 오버 나이트를 비롯해 종류별 생리대, 끝물에 쓰는 팬티 라이너와 평소 자신이 먹는 진통제까지 꽤 부피가 큰 선물을 보내 왔다. 그룹홈을 나오고서는 처음 받는 선물이라 기분이 얼떨떨했다.

그룹홈에서는 크리스마스, 어린이날, 생일이 선물을 받는 날이었는데 퇴소하고 나서는 그런 날들을 챙긴 적도 챙김을 받은 적도 없었다. 특히 크리스마스에는 들어 본 적도 없는 각종 단체에서 그룹홈으로 선물을 보내왔다. 해서 언니와 설, 솔 언니는 익숙한 듯 얼굴도 모르는 사람들이 보낸 선물을 원래 자신의 것인 양 받았다. 나도 곧 그런 선물들에 익숙해졌는데 정작 솔 언니가 준 선물들은 낯설게 느껴졌다. 오늘은 아무 날도 아니었고 나는 선물을 받을 정도로 잘한 일이 없었다. 그게 이상했다. 나는 솔 언니에게 저번보다는 낫다고, 보내 준 생리대는 잘 쓰고 있다고만 답장했다. 솔 언니는 이제 잔다고 했다. 나도 슬슬 졸음이 왔다. 불을 끄고 옆으로 비스듬히 누워 임신 8개월을 검색하고 연관된 게시물을 읽으니 1시가 되었다. 잠들려던 차에 핸드폰이 울렸다.

연락 늦었지. 아팠다면서. 지금은 좀 괜찮아?
이런저런 일들 때문에 생각이 많아서 그동안 연락 못 했어. 미안해.

이런저런 일들이 뭔지, 생각이 많은 것과 연락을 못 하는 게 무슨 상관이 있다는 건지. 잠이 깼다. 마음이 답답해진 나는 바로 전화를 걸어 어떻게 그럴 수 있느냐고 따져 묻고 싶었지만 그랬다가는 해서 언니가 다시 도망갈 것 같아 참았다. 해서 언니는 이번 병원 예약 때 볼 수 있냐고 물었다. 병원 예약은 지난번과 같은 오전이었다. 진료를 보고 해서 언니와 잠깐 이야기해도 알바 시간에 맞출 수 있을 것 같았다. 나는 알았다고 짧게 답장했다.

해서 언니는 금방 진료를 보고 나왔다. 의사는 내게 생리를 시작한 데다 벌써 두 차례나 주기적으로 하고 있어서 이제 약을 먹지 않아도 된다고 했다.

"거 봐, 내가 그랬잖아. 밤낮을 정상적으로 생활해야 돌아온다고."

해서 언니의 얼굴은 전보다 피곤해 보였고 몸은 무거워 보였으며 걸음걸이는 더 힘들어 보였다. 그러면서도 목소리에는 생기가 있어서 내게 잔소리를 했다. 문자로 미안하다고 했던 게 사과의 전부였던 건지, 언니는 평소처럼 나를 대했다.

"무슨 일 있었어?"

나는 지난 새벽에 꾹 참고 미뤄 둔 말을 내뱉었다. 잠도 거의 자지 못했다. 미워하는 사람을 어떻게 괴롭히면 좋을까. 갑자기 연락을 끊고 사라지는 것이 가장 좋은 방법이라고 생각했다. 하지만 다시 생각해 보면 가까운 사이가 아닐 때에는 연락이 끊겨도 별로 괴롭지는 않을 테니 좋은 방법은 아닌 것 같았다.

"별일 아니야. 여기서 이러지 말고 나가자. 근처 카페라도 갈래?"

"아니, 안 갈래."

"뭐?"

"언니 집 갈래. 수원역 근처 맞지? 이사는 대체 어디로 간 거야. 내가 얼마나 찾았는지 알기나 해?"

"무슨 집으로 가. 청소도 못 했어."

"솔 언니도 갔다며. 그리고 언니는 갑자기 연락 끊길까 봐 안 돼."

조르고 졸라서 나는 해서 언니 집에 가기로 했다. 언니가 못 본 사이에 왜 이렇게 집착이 심해졌냐고 물어서 나는 좀 어이가 없었다. 그렇게 말하는 해서 언니의 기분이 좋아 보여서 내 기분은 조금 더 상했다. 언니의 집이 수원역 근처에 있는 건 확실했다. 해서 언니의 잠수가 너무 길어져서 솔 언니에게 해서 언니의 집 주소를 알려 달라고 했을 때, 솔 언니는 사실 이사 갔을 때 한 번 가 본 거라 정확한 위치는 어딘지 모른다고 했다. 그때는 나를 안심시키기 위해 한 말이라고, 자신도 해서 언니가 이렇게 오래 연락을 안 할 줄은 몰랐다며 난감해했다. 나는 두렵고 초조했다. 2시까지 일을 가야 했다. 해서 언니 집이 어딘지만 알면 안심할 수 있을 것 같았다.

해서 언니는 화장실에 한 번 더 다녀와서 택시를 불렀다. 언니가 택시 기사에게 불러 주는 집 주소를 나는 핸드폰 메모장에 받아 적었다. 한때 미아가 되는 경험을 해 본 아이가 다시는 떨어지지 않기 위해 부모의 손을 꼭 붙드는 심정을 알 것 같았다. 문득 본 언니의 손등이 거칠어 보였다. 원래도 미용 일을 하느라 거칠긴 했지만 이렇게 울긋불긋하지는 않았었는데. 내가 해서 언니의 손등을 물끄러미 바라보자 언니는 임신하고서 체질이 변한 건지 일하다가 샴푸 독이 올라서 치료는 받았는데 흉이 남은 거라고 했다. 손등 피부가 예민해진 건지 햇빛만 받아도 간질거려. 아기 낳고 나면 나아야 할 텐데, 괜찮아지겠지. 해서 언니는 중얼거리며 붉어진 손등을 긁지 않기 위해 손바닥으로 몇 번 두드렸다.

택시는 가파른 오르막길을 올라가서 OK 할인 마트 앞에 우리를 내려 주었다. 해서 언니의 집은 그 옆의 5층 건물이었다. 내가 마트에서 먹을 것을 살지 묻자 언니는 OK 할인 마트는 편의점보다도 비싸다고 귀찮으니 그냥 집에 가자고 했다. 해서 언니가 건물 공동 현관문 비밀번호를 눌렀다. 왼쪽 구석에 있는 101호가 언니의 집이었다. 중앙에 102호, 103호가 나란히 있었고 오른쪽 구석에 104호가 있었다. 계단 구석으로 각 집의 살림살이가 쌓여 있고 엘리베이터는 없었다. 나는 해서 언니를 따라 안으로 들어갔다. 집 안은 낮인데도 한밤중처럼 캄캄했다. 해서 언니가 불을 켰다.

"이럴 거면 이사하는 날 좀 오지. 내가 그렇게 오라고 할 땐 바쁘다고 안 된다고 했으면서."

"그랬나."

"기억 안 나?"

"집이 어둡네."

"맞은편 가로등이 흰색이라 밤에 한낮 같아서 잠을 못 잤어. 암막 커튼을 달았더니 밤이나 낮이나 밤 같아."

해서 언니는 내게 편한 데 앉으라고 하고는 화장실에 갔다. 나는 암막 커튼을 걷었다. 햇빛이 집 안을 환하게 비추었다. 창문 밖으로 사람들이 지나다니는 소리가 났다. 밖에서 안이 보이는 것 같아 나는 다시 커튼을 닫고 2인용 소파에 앉았다. 안쪽으로 방이 하나 더 있었다. 잠을 자는 방인 것 같았다. 부엌 공간이 바깥으로 분리된 내 집과는 달리 해서 언니의 집은 부엌에서 방으로 이어진 거실 같은 공간이 있어서 그룹홈과 비슷했다. 나는 컨테이너와 그룹홈, 솔 언니의 집, 내 집을 차례로 떠올렸다. 현관에는 아직 포장을 뜯지 않은 아기 물건들이 쌓여 있었다. 해서 언니가 화장실에서 나왔다.

"화장실 자주 가네."

"방광이 눌려서 그렇대. 갔는데 아닐 때도 많아."

언니는 한 손을 허리에 댄 채 허리를 쭉 펴고는 식탁 의자에 앉았다.

"마실 것 좀 줄까."

"아니야. 내가 꺼내 먹을게."

냉장고 안에는 여러 종류의 과일 음료와 우유가 있었다.

"언니도 뭐 좀 줄까."

"나는 그냥 물. 뒤에 정수기 있어."

"정수기도 있어?"

"매번 생수 사 먹기도 귀찮고 필요할 것 같아서 샀어. 정수만 되는 거야."

해서 언니는 내게 대답하고는 가려운지 다시 손등을 만지작거렸다.

"요즘도 일해?"

나는 언니 앞에 물컵을, 그 앞에 토마토 주스를 두고는 마주 보며 앉았다.

"아니, 손등이 이렇게 되고서는 진짜 쉬어. 손님도 원장도 별로 안 좋아하더라고. 보기 나쁘지? 그런데 서서 일하는 게 점점 버겁기도 했어."

"내 연락 무시한 지 두 달이나 된 건 알아?"

"무시까진 아니고. 그래서 미안하다고 했잖아. 나도 힘들었어."

"좀 더 늦었으면 완벽이 태어나고 셋이 봤겠다."

내 말에 해서 언니는 코웃음을 치며 조소했다.

"완벽은 무슨. 남친이랑 깨졌어."

"어?"

"내 인생은 왜 이런 걸까. 이번 생은 완전히 망했어."

나는 어떤 말을 해야 할지 말문이 막혔다. 뭐라고 말해야 할까. 어떻게 해야 할지 모르겠는 상황에 나는 해서 언니에게 만나자고 한 것과 집까지 따라와 버린 것을 후회했다.

"그렇게 보지 마. 나도 내가 불쌍하니까."

내가 어떤 눈으로 언니를 보았기에. 나는 고장 난 사람처럼 가만히 있다가 정신을 차리고 말했다.

"……괜찮아?"

나는 괜찮지 않으리란 걸 알더라도 괜찮냐는 말밖에 하지 못할 때도 있다는 걸 깨달았다.

"너라면 괜찮겠어. 당연히 안 괜찮지. 쪽팔리고 한심해. 나도 그 새끼처럼 도망갈 수 있었으면 좋겠어."

해서 언니는 깊게 한숨을 쉬더니 부푼 배를 원망스레 내려다보며 자기 배를 쥐어박았다. 세게 때린 건 아니었지만 언니의 행동이 내 마음에 파문을 일으킨 것 같았다. 나의 엄마도 도망가고 싶었을까.

"이런 꼴 보이기 싫어서 연락 안 했던 건데."

배를 내려다보던 해서 언니의 시선이 나에게 닿았다. 연락이 끊겼다고 뭐라고 했던 나를 탓하는 걸까. 나를 원망스럽게 보는 언니의 시선에 억울한 마음이 들어서 날카로운 반응이 나왔다.

"그게 내 잘못은 아니잖아."

"그럼 전부 내 탓이라는 거야?"

"아니, 말 그대로 내 탓은 아니라는 거야. 그래서 완벽인 어떻게 할 건데."

책임을 묻자면 해서 언니와 완벽이의 아빠가 50 대 50일까. 아니면 언니가 임신하지 못하도록 뜯어말릴 책임이 내게도 있었던 걸까. 하지만 시간을 되돌린다고 한들 해서 언니의 선택을 말릴 방법은 없을 것 같았다.

"이제 완벽이 아니야. 듣기 싫어."

언니는 이제 완벽이를 완벽이라고 부르는 것까지 난리였다.

"알았어. 그래서 애는 어쩔 건데."

"걔가 연락이 안 돼."

"애 아빠? 완전 최악이네."

헛웃음이 났다. 내가 잘 아는 사람이 떠올랐다. 사실 잘 알지는 못했다. 어렸을 때 기억이 전부니까 잘 아는 건 아니었다. 나는 완벽이가 측은해졌다. 태어나기도 전에 배신이라니. 어쩌면 태어나지 않아서 모르는 것이 나을 수도 있었다. 6살인 나도 힘들었으니까. 문득 생겨난 지 8개월인 완벽이가 정말 아무것도

142

모르고 괜찮은지 의문이 들었다. 태아는 엄마와 기분을 공유한다고 하던데. 완벽이는 지금 일생일대의 위기를 맞고 있을지도 몰랐다. 생각해 보니 나는 2살 때 엄마에게 배신을 당했다. 그때를 기억하지 못한다고 해서 아프지 않은 것은 아니었다. 기억에 없는 배신도 아프다.

"그래서 언닌 어떡하고 싶은 건데."

"낳아야 한대. 8개월이라 이미 어쩔 수가 없대."

완벽이는 해서 언니의 인생에서 이미 어쩔 수 없는 오점이 되어 버린 걸까.

"그다음은?"

"어떻게든 되겠지. 나도 어떻게든 컸잖아."

언니는 그런 식으로 살고 싶었어? 나는 언젠가 카페에서 했던 말을 다시 하는 해서 언니를 보며 속으로 물었다. 나는 어떻게든 되는 것도 어떻게든 크는 것도 바란 적 없다고 말하고 싶었다. 하지만 그런 말을 삼키고 차분하게 말했다.

"무슨 일 있으면 전화해."

해서 언니에게 여러 번 당부하고는 나는 교대 시간에 맞춰 편의점으로 향했다. 언니의 집만 알아내면 마음이 놓일 거라던 예상과는 달리 해서 언니를 남겨 두고 편의점으로 향하는 내 마음은 조금도 편하지 않았다.

143

*

　중학생이 된 해서 언니는 버스를 타고 통학을 해야 했다. 해서 언니는 그룹홈 컴퓨터로 학교까지 가는 길을 알아보고 있었다. 언니는 버스 노선을 검색하더니 로드 뷰를 보았다. 뒤편에서 구경하던 내게 해서 언니가 말했다.

　"여기가 엄마랑 살았던 집이야."

　언니는 곧이어 다른 주소를 검색했다.

　"여기는 지금 엄마 집이고."

　해서 언니의 목소리를 듣고 설, 솔 언니가 방에서 나왔다.

　"그거 뭐야. 우리도 해 줘."

　해서 언니는 설, 솔 언니의 집도 찾았다. 설, 솔 언니의 주소를 몰라서 동 이름을 검색하고는 마우스를 움직여 두 언니가 말하는 대로 지도를 움직였다.

　"나 여기 알아!"

　설, 솔 언니들은 자신이 아는 마트나 가게가 나올 때마다 안다고 소리를 질렀다. 해서 언니는 두 언니의 집을 찾고서 뒤에서 조용히 바라보고 있는 내게 말했다.

　"너도 해 줄게."

　"나는 무슨 동인지도 모르는데."

　"선생님, 민서 예전 주소 있어요?"

있을 거야. 상황을 지켜보던 김선아 선생님이 책장에 꽂힌 파일 중에 내 이름이 적혀 있는 파일을 꺼냈다. 김선아 선생님이 불러 주는 주소를 해서 언니가 듣고 키보드로 쳤다.

"뭐야, 아무것도 없는데."

해서 언니가 당황한 목소리로 말했다. 정리되지 않은 수풀이 우거져 있고 비포장도로 뒤로 개천이 흘렀다.

"저기 물고기 많아."

여름에는 개천에서 놀았다. 평소엔 물이 내 무릎까지 올 정도로 얕았다가 비가 오면 물이 불어서 놀기 좋았다. 원래는 물고기가 없었지만 큰비가 내리면 상류에서 물고기가 떠내려왔다. 아빠랑 먹으려고 물고기를 잡아 집에 갔는데 아빠에게 혼이 났다. 물고기도 먹을 수 없으니 갖다 버리라고 했다. 나는 다시 물가로 가서 물고기를 놓아주었다. 물고기는 다른 물고기들처럼 헤엄치지 못하고 하얀 배를 뒤집고는 물살을 따라 흘러갔다.

해서 언니가 아무리 찾아봐도 컨테이너는 없었다. 괜히 지도를 왔다 갔다 하다가 원래 살던 곳에서 멀어졌다. 조금 떨어진 곳에는 주택 단지와 초등학교가 있었다. 해서 언니가 컨테이너라는 말을 몰라서 나는 갑 티슈 모양의 집에 문과 창문이 나 있다고 설명했다. 내가 아는 말 중에 해서 언니가 모르는 것이 있어서 신기했다.

"어, 여기 아파트 생긴다. 봐 봐. 갑 티슈 없어지고 이게 생기려나 봐."

컨테이너는 사라지고 아파트 골조가 세워지고 있었다.

"그럼 좋은 거 아니야?"

솔 언니의 말에 설이 대답했다.

"좋긴 뭐가 좋아. 민서 것도 아닌데."

그 무렵 아빠는 어디에서 살고 있었을까. 그때도 컨테이너
안에 살고 있었을까.

*

편의점으로 가는 버스의 종착지는 컨테이너가 있던 곳이었
다. 그저 알바를 하러 가는 길이었을 뿐이지만 버스 앞에 큰 글
씨로 쓰인 종착지를 볼 때면 나는 그곳으로 다시 돌아가는 기분
이 들곤 했다. 알바가 끝나고 편의점을 나오자마자 그 앞 정류
장에 정차한 버스에 탑승한 것은 충동적인 일이었다. 나는 급하
게 버스 계단을 오르고서는 맨 뒤쪽 창가 자리에 앉았다. 내 뒤
로 세 명의 승객이 더 타고서 버스는 집 반대 방향으로 향했다.
집으로 가는 버스보다 승객이 좀 더 많은 것 같았다. 버스가 앞
으로 나아가며 창밖의 풍경이 바뀌었다. 펼쳐지는 풍경은 비슷
한 듯 낯설게 보였다. 흙길은 아스팔트 도로가 되었고 도로였던
곳은 더 넓은 도로가 되었다. 하지만 정확히 내가 알던 그곳이

었는지는 알 수 없었다. 해서 언니와 로드 뷰로 근방을 둘러본 기억이 있어서 익숙해 보이는 걸지도 몰랐다. 원래는 없었던 횡단보도와 정류장에서 버스는 몇 번이고 정차했다. 창밖으로 보이는 개천은 예전보다 반듯하고 질서 있게 흘렀다. 흐르는 개천을 보고서야 내가 아는 곳이 맞는 것 같다고 생각했다.

계속된 정차에 답답함을 느낀 나는 버스에서 내려 개천을 따라 걷기로 했다. 날이 더운데도 물가에서 노는 사람은 없었다. 진입로에 있는 안내판에는 수영 금지, 낚시 금지, 공원 내 음주·흡연 금지, 반려견은 줄을 착용한 채 산책시키고 배설물을 치우라는 등의 안내문이 위반 시 과태료를 부과한다는 경고 문구와 함께 쓰여 있었다. 안내문 위로 '최근 잦은 비로 인한 수위 상승으로 안전 바를 설치하였으니 양해 부탁드리며 어린이 보행로 이용에 각별한 주의 바랍니다.'라는 현수막이 걸려 있었다. 보행로 바깥의 냇가 쪽으로는 사람들이 넘어가지 못하도록 노란색 안전 제일 울타리가 세워져 있었고, 울타리가 없는 곳에는 빨간색 테이프가 가로로 묶여 있었다. 테이프와 울타리 때문에 보행로가 좁고 답답해 보였다.

사람들은 한 줄로 걸었다. 킥보드를 탄 아이가 나를 지나쳐 앞으로 나아갔다. 아이는 좁은 사람들 사이사이를 잘도 비켜 달려 나갔다. 뒤에서 아이의 이름을 부르며 조심하라는 여자의 목소리가 들렸다. 아이의 웃음소리가 귀를 울렸다. 나는 천을 따라서 걷다가 다시 돌아왔다가를 반복하며 컨테이너 근처였을 법한 자리를 맴돌았다. 내가 물고기를 놓아주었던 자리는 여기쯤일까. 작은 개천을 사이에 두고 양쪽에 솟아오른 아파트가 가운데로 쏟아져 내릴 것 같았다.

한참을 걸으니 육교 아래 낮은 물가로는 울타리가 없었다. 다리 밑으로는 징검다리가 있었고 그곳은 사람이 건너지 않은 지 오래되어 보였다. 돌에는 물이끼가 잔뜩 끼어 번들거렸다. 돌다리를 건너기로 마음먹은 것과 동시에 다리가 움직였다. 아까부터 계속 충동적으로 행동하고 있는데 괜찮은 걸까. 그룹홈에서 지낼 때 이랬으면 선생님한테 혼났을 텐데. 하지만 이제 나는 그룹홈에서 살지도 않았고 더 이상 '요보호'와 '아동' 어디에도 속하지 않았다. 자신 있게 뻗은 발이 돌에 안정감 있게 착지했다. 돌다리를 건너기로 한 것이 잘한 결정이었다고 생각하며 두 번째 걸음을 내딛는 순간, 나는 무언가 잘못되었다고 느꼈다. 시야의 각도가 기이하게 틀어지면서 주변의 높은 건물들이 나에게로 쏟아져 내리는 것처럼 보였다. 물이 얼굴까지 튀면서 엉덩이가 바닥에 닿았고 그 순간 흙탕물이 일었다. 놀란 물고기들이 커다란 돌 틈 사이로 흩어졌다. 황급히 일어나서 주변을 둘러보는데 다행히 주변에는 아무도 없었다. 그런 스스로가 우습고 황당해서 비실비실 웃음이 새어 나왔다. 하하 하고 낸 웃음소리에 옷이 젖어 버린 것에 대한 난처함과 왠지 모를 유쾌

함이 함께 섞여 나왔다. 물 밑으로 보이는 물고기를 잡으려고 손가락을 움켜쥐었다. 하지만 그런 어수룩한 손놀림에 잡혀 줄 물고기는 없었다. 작은 물고기 떼가 나의 손가락 사이사이를 요리조리 피하며 빠져나갔다. 예전엔 어떻게 잡았더라. 두 손을 모아 물을 가두며 손을 물 밖으로 빼내자 작은 송사리 같은 것이 함께 딸려 올라왔다. 어리숙한 물고기가 빙빙 돌며 손바닥을 간질였다. 손 틈 사이로 물이 조금씩 빠져나갔다. 나는 손에 물이 다 빠지기 전에 물고기를 놓아 주었다. 그것은 빠르게 작은 돌 틈 사이로 사라져 버렸다. 나는 물에서 나와 돌다리를 마저 건너 반대편으로 넘어갔다. 두 번은 미끄러지지 않았다. 중심 잡기에 성공한 나는 의기양양해졌다. 처음부터 이렇게 걸으면 좋았을걸. 하지만 물에 빠지지 않았다면 징검다리를 무사히 건너는 방법은 평생 몰랐을지도 모른다. 바지가 축축하고 무거웠지만 상의는 거의 젖지 않았고 짙은 색 청바지를 입어서인지 젖은 티는 잘 나지 않았다. 저녁이 드리운 어둠이 물이끼와 흙탕물로 얼룩덜룩한 바지를 감추어 주었다. 장마를 먹고 자란 풀들이 강인해 보였다. 그 사이에 작고 노란 동그라미를 품은 꽃이 보였다. 잘고 하얀 꽃잎이 노란 꽃술을 둘러싸고 있었다. 꽃은 개천과 땅 사이의 진흙에 뿌리를 내리고 있었다. 연약해 보이는 꽃의 생김새와는 달리 줄기는 생각보다 두껍고 키가 컸다. 나는 그 꽃이 왠지 마음에 들었다. 꽃의 뿌리가 다치지 않게 뿌리 주변을 조금씩 파면서 꽃을 천천히 뽑아냈다. 이곳에 뿌리를 내리는 게 녹록지 않았던 듯 커다란 뿌리가 축축한 흙을 잔뜩 움켜쥐고 올라왔다. 여름 방학 숙제로 키웠던 식물들은 물을 조금만 자주 주어도 곧 죽어 버리곤 했다. 나는 그것을 원래 있던 곳보다는 덜 축축한 조금 위쪽에 옮겨 심었다. 더 나은 곳으로 옮기고 싶었지만 곧 잘려 나갈 것 같아 그만두었다.

민해서 님이 김민서 님을 초대하셨습니다.
민해서 님이 설솔 님을 초대하셨습니다.

바지 주머니에 들어 있던 핸드폰은 물에 빠진 뒤로 작동하지 않았다. 새로 핸드폰을 개통하자, 해서 언니는 어떻게 알았는지 나와 솔 언니를 단톡방에 초대했다. 언니의 프로필 이름이 민해서인 것을 보고 나는 해서 언니의 명함을 떠올렸다. 어째서 언니는 아직도 민해서라는 이름을 사용하고 있을까. 해서라는 이름 앞에 붙은 '민'이라는 성이 거슬려서 나는 해서 언니에게 직접 묻기로 했다.

ㅋㅋㅋ 왜 민해서?;;

?? 나 원래 민해서였어

아무 생각도 거치지 않은 것 같은 답변이 바로 돌아왔다. 처음부터 그랬다고, 프로필 설정부터 그랬는데 갑자기 왜 그러느냐는 언니의 카톡이 이어졌다.

> 그이름진짜오랜만ㅋ 언제적 민해서약ㅋㅋㅋㅋㅋㅋㅋㅋㅋ

단톡방에 함께 초대받은 솔 언니의 말풍선이 올라왔다. 어렸을 때처럼 솔 언니가 깔깔대는 소리가 들리는 것 같았다. 나는 핸드폰 화면에 빠르게 글자를 쳤다.

> 됐고 연락처나 보내줘. 다 날아갔어.

> 어쩌다ㅜㅜㅜ

해서 언니의 눈물 표시 섞인 멘트 뒤로 솔 언니가 자세한 설명을 덧붙였다.

> 번호가 없어서 상대방이 설정한 이름이 보이는 거 같은데?
> 나한테는 내가 연락처에 설정한 대로 '해서 언니'야

솔 언니의 말이 맞았는지 친구 목록에는 'ㅋㅋ'과 같이 누구
인지 알 수 없고 성의 없는 이름도 여럿 포함되어 있었다. 전보
다 친구 목록이 줄었다는 내 말에 둘 중 하나는 연락처를 가지
고 있어야 자동으로 동기화되는 것 같다고, 이번에도 솔 언니가
설명해 주었다.

> 핸드폰 고치러 갔는데 너무 오래된 폰인 데다 물에 빠져서
> 고치는 값이 더 들 거라고 하더라.

아쉬움이 담긴 마음이 말풍선으로는 전달되지 않은 걸까. 그
것참 잘됐다고, 똥 폰을 처분해서 속이 시원하다는 해서 언니의
대답이 바로 돌아왔다. 언니가 준 핸드폰도, 언니의 바뀐 성씨
도 내게만 의미가 있구나.

> 저장된 전화번호들이랑 사진들이 아까웠어.

> 그건 그렇네. 백업 안 했어? 너랑 같이 찍은 건 내가 보내 줄게

해서 언니는 드물게 내 말에 공감했다. 카톡 카톡 하는 소리
와 함께 해서 언니와 솔 언니가 공유한 사진들이 방금까지 나누
던 대화를 밀어 올렸다. 어렸을 때부터 함께했던 추억들이 단톡

방을 가득 채웠다. 언제 찍은 건지 해서 언니와 내가 다투던 날 치킨집에서 찍은 사진도 있었다.

치킨 양도 많고 맛있게 생겼다! 어디야? 다음엔 나도 같이 가면 안 돼?

솔 언니의 질문에 해서 언니와 나는 둘 다 대답하지 않았다. 사진만 봐도 역한 기름 냄새가 올라오는 것 같았다. 해서 언니도 치킨집에서의 불쾌한 기억이 떠올랐는지 반응이 별로 좋지 않았다. 하지만 언니가 필터를 바꿔 가며 솜씨 좋게 찍어 놓은 사진을 본 솔 언니는 저 가게에 정말 가고 싶었는지 여러 번 어디냐고 물었다. 나는 슬쩍 다시 사진을 보았다. 사진만 보면 맛집이라고 생각할 만했다. 역시 인터넷에 맛집이라며 올라오는 사진과 글은 믿을 수 없다. 이어서 부탁한 적도 없는 해서 언니의 셀카가 잔뜩 올라왔다. 언니의 사진들은 그룹홈 이후 언니가 어디에 가서 놀았고 무엇을 먹고 살았는지에 대한 기록 같았다. 중간중간 예전에 만났던 남자와 찍은 사진이 실수인지 고의인지 함께 올라왔다. 저런 사진도 지우지 않고 가지고 있는 걸까. 해서 언니는 그룹홈을 떠나면서 거기서 찍었던 사진들을 모두 삭제했다. 그 사진 중에는 나랑 같이 찍었던 것도 포함되어 있었다. 어차피 지울 거면서 왜 굳이 싫다는 내게 같이 찍자고 카메라를 들이밀었을까. 그 사진들은 해서 언니가 준 핸드폰과 함께 기억 속으로 완전히 사라졌다. 솔 언니는 해서 언니가 남자 사진을 보낼 때마다 저놈이 그놈이냐고 물었다. 솔 언니의 반복된 질문에도 해서 언니는 그놈의 얼굴만은 실수로도 보여 주지 않았다.

해서 언니의 사진에 비해 솔 언니의 사진은 좀 더 과거에 머물러 있었다. 나는 솔 언니가 보내 준 사진들을 넘겨 보며 저장 버튼을 눌렀다. 사진이 거듭될수록 더 앳된 얼굴의 우리가 있었다. 해서 언니도 그런 사진들이 싫지는 않았는지 솔 언니가 올린 사진 하나하나에 댓글을 달기 시작했다. 둘이 찍은 사진이 가장 많았다. 셋이 찍은 사진도 있었고 혼자 찍은 사진도 있었다. 나의 어린 시절 독사진을 솔 언니가 저장해 두었다는 게 좀 의외였다. 마침내 솔 언니가 우리 넷이서 찍은 사진을 보냈을 때 단톡방은 정전이 된 것처럼 조용해졌다. 사진에 계속 댓글을 남기던 해서 언니도 조용했다. 솔 언니는 다 같이 나온 사진이 어릴 때 찍은 이거 한 장뿐이라고 했다. 해서 언니는 같이 사진 많이 찍을 걸 그랬다고 아쉬워하면서도 그래도 한 장이라도 있으니 다행이라고 했다. 저 때는 내가 제일 작았는데, 우리 중 가장 컸던 해서 언니가 지금은 제일 작다. 내가 나온 사진은 해서 언니와 같이 찍은 것이 제일 많았고 솔 언니와 단둘이 찍은 것도 있었지만 나와 설 언니 둘이서 찍은 것은 없었다. 해서 언니와 설 언니가 같이 찍은 사진은 있었다. 나는 단 한 번도 아쉬운 적 없었던 지나간 시간들이 아까워졌다.

솔 언니는 주지 못해 안달이 난 사람 같았다. 생리를 시작했다고 말하자 매달 간편 조리 식품들과 생리대를 보내오거나 맥락 없이 갑자기 내 생각이 났다며 이런저런 물건들을 배달시켰다. 택배 박스가 자주 배송되는 바람에 미처 뜯지 못한 상자들이 원룸 입구에 쌓였다. 얼마 전에는 어떻게 해냈는지 행궁동 레스토랑에 점심을 예약했다며 연락이 왔다. 늦었지만 해서 언니의 임신을 함께 축하하고 싶다고, 더 배가 부르면 같이 식사하기도 힘들다며 서둘러 날짜를 잡았다. 해서 언니는 솔 언니가 보냈다는 아기 용품과 장난감 들의 사진을 찍어 내게 보내고는 자랑했다. 나도 나를 챙겨 주는 솔 언니의 행동이 싫진 않았지만 이런 걸 받아 본 적이 없어서 그런지 자꾸 불안한 마음이 들었다. 어쩌다 한번 솔 언니가 밥을 사 주는 정도가 좋았었는데, 솔 언니는 요즘 회사 일이 바빠 이수역에 가도 만날 수가 없었다.

레스토랑 창가 조명 밑에 거꾸로 매달린 죽은 꽃이 가득했다. 약간 노르스름한 전등 빛이 다채롭게 죽어 있는 꽃들을 비추었다. 바짝 마른 안개꽃들 사이로 죽은 장미를 비롯해 이름 모를 죽은 보라 꽃 한 송이, 역시 죽은 노란 꽃 두어 송이가 버석거리는 재질의 포장지로 곱게 싸여 레스토랑의 벽면을 장식하고 있었다. 꽃들은 살아 있을 때의 형태를 유지하고 있었지만 생명 없는 껍데기는 작은 충격에도 쉽게 바스러질 것 같았다. 뿌리가 썩은 채로 사는 것과 뿌리가 잘린 채 거꾸로 매달려 장식되는 것 중 뭐가 더 나을까.

"여기 너무 예쁘지 않니. 엄청 좋다."

해서 언니는 핸드폰 카메라로 죽은 꽃을 찍었다. 해서 언니의 엄지와 집게손가락이 핸드폰 화면 위에서 벌어졌다 오므려지며 카메라의 초점을 맞추었다.

"죽은 꽃이 뭐가 좋다고."

내 말을 누가 듣기라도 한다는 듯 주변을 살피던 해서 언니가 불만스러운 표정으로 말했다.

"죽은 꽃이 뭐니. 드라이플라워잖아."

피어 있는 꽃을 곱게 말린 장식을 드라이플라워라고 부르는 것쯤은 나도 알았다. 하지만 다르게 부른다고 죽은 것이 산 게 되는 건 아니지 않나. 약속 시간보다 조금 늦은 솔 언니가 겉옷을 의자에 걸고 자리에 앉으며 가지고 온 여행 가방을 식탁 다리 안쪽으로 바짝 붙여 두었다. 바퀴가 잘 구르지 않아 몇 번 덜컹거리는 소리를 내더니 가방이 바르게 선 것을 확인하고 자리에 앉았다. 솔 언니는 이마에 솟은 땀을 닦으며 말했다.

"미안. 차가 막혔어. 많이 기다렸어?"

해서 언니는 별로 오래 기다리진 않았다며 고개를 저었다.

"아니야. 여기 예뻐서 사진 찍고 있었어. 근데 웬 트렁크야?"

나와 해서 언니의 시선은 솔 언니가 가지고 온 트렁크에 머물렀다. 오래된 기억 속 익숙했던 물건이었다. 그룹홈에 살 때 설과 솔 언니의 방에 나란히 세워져 있던 트렁크. 해서 언니가 준 스마일 스티커를 내가 설, 솔 언니의 가방에 붙여 주었던가. 나는 흐릿한 기억을 더듬었다. 시간의 흐름을 알려 주는 듯 스마일 스티커의 입이 반이나 지워져 비웃는 것처럼 보였다. 기억에는 조금 더 컸던 것 같은데 트렁크는 어른이 된 솔 언니가 끌기엔 작아 보였다. 가방이 구르며 나던 덜컹거리는 바퀴 소리와 아빠를 부르며 달려 나가는 설, 솔 언니의 목소리가 귓가에 메아리치는 것 같았다.

"예전에 쓰던 건데 팔려고. 그냥 버리려고 했는데 당근에 내놨더니 이것도 산다는 사람이 있는 거 있지? 그래서 가지고 왔어."

해서 언니는 계속 식탁 아래의 트렁크를 살피며 말했다.

"아, 그러게. 기억난다. 많이 낡았네. 근데 아까 보니까 꽤 묵직해 보이던데. 빈 트렁크 아니야?"

"싸구려라서 그런지 별거 안 넣어도 무겁더라고."

"그래서 비싸더라도 괜찮은 걸 사야 해."

해서 언니는 낡은 트렁크에 관심이 사라진 듯 나를 흘긋 노려

보고 말을 이었다.

"근데 얘가 드라이플라워 보고 죽은 꽃이라는 거 있지."

"죽었잖아."

낮게 깔리는 솔 언니의 목소리에 갑자기 찬물을 끼얹은 것처럼 주변의 분위기가 가라앉았다.

"어?"

해서 언니는 솔 언니의 대답을 예상하지 못했는지 당황한 표정으로 바람 빠지는 것 같은 소리를 내었다. 평소엔 솔 언니와 해서 언니의 생각이 같고 나만 달랐기 때문에 이번엔 솔 언니가 왜 그렇게 생각했는지 궁금해졌다. 해서 언니와 내가 물끄러미 바라보자 솔 언니가 말했다.

"시들고 썩느니 예쁠 때 죽는 게 낫지."

역시 솔 언니와 내 생각이 같을 리 없다. 나는 나도 모르게 발끈했다.

"죽는 게 뭐가 나아."

"그건 네가 몰라서 그래."

"내가 뭘 모른다고 그래."

언니야말로 아무것도 모르잖아 하는 말이 혀끝에 맴돌았지만 솔 언니는 내가 모르는 걸 알고 있는 것 같아서 나는 그 말을 꿀꺽 삼켰다.

"밥 먹으러 와서 죽는다 산다 이게 무슨 소리야. 나도 이렇게 인테리어 해 볼까 했는데 드라이플라워는 재수 없어 거른다. 이제 속 시원해?"

해서 언니가 날 보고 빈정대며 말했다.

"좋은 날인데 이런 얘기는 그만하자. 근데 무슨 인테리어? 또 이사해?"

솔 언니는 그 이야기를 더 할 생각은 없었는지 해서 언니에게 질문하면서 말을 돌렸다.

"아니, 나도 남 밑에서 계속 일할 수는 없잖아. 곧 애도 나올 거고. 그러면 혼자 작게 숍이라도 해 보려고."

"우와 진짜? 그럼 사장님 되는 거야? 언니는 돈 많이 모았나 보다."

솔 언니의 반응에 해서 언니가 멋쩍게 웃으며 반응했다.

"많이는 아니고."

종업원이 메뉴판을 들고 왔다. 메뉴는 특별한 게 없었지만 가격이 좀 비싼 것 같았다. 슬쩍 해서 언니를 보니 언니도 놀란 듯 나를 보고 있었다. 조금 당황한 시선이 허공에서 어색하게 부딪히고 떨어졌다. 나는 조심스레 입을 열었다.

"여기 비싼 거 같은데 그냥 다른 데 갈까."

해서 언니는 아까와는 다르게 표정을 바꾸어 말했다.

"여기까지 와서 무슨 소리야. 솔이 예약까지 했잖아."

"그래 맞아. 가격도 알고 온 거야. 여긴 내가 살 테니까 걱정하지 말고 먹고 싶은 거 시켜."

"정말? 나는 그럼 잘 먹을게."

해서 언니는 솔 언니의 권유를 넙죽 받고는 메뉴판을 뒤적이다 레스토랑의 구석구석을 구경했다. 그러고서는 인스타그램에 올릴 거라며 메뉴판부터 시작해 테이블 위에 세팅된 그릇과 포크와 나이프, 각종 장식들을 모두 저장할 기세로 사진을 찍었다. 솔 언니는 굳은 표정의 나를 안심시키며 말했다.

"민서도 맘 편히 먹어. 걱정하지 마. 이럴 때 쓰려고 돈 버는 거지."

메뉴판을 보지 말걸. 비싼 가격에 입맛이 뚝 떨어졌다. 회사원 월급은 알바 시급보다 훨씬 많은 걸까. 늘 솔 언니가 사 주는데 해서 언니는 이런 게 부담스럽지도 않은 건가. 그런 내 표정을 보며 해서 언니가 말했다.

"얘는 이런 거 많이 안 받아 봐서 그래. 누릴 수 있을 때 누려."

나는 받는 방법을 배운 적이 없어서 비싼 음식도 받아먹을 줄 모르는 걸까.

"우리 사이에 뭘 그래. 갚으면 되지."

나도 그렇게 생각은 했다. 내 시급을 생각하면 비싼 가격이긴 해도 해서 언니의 임신을 축하하는 자리에 쓰지 못할 돈은 아니었다. 하지만 생각과 마음의 속도는 달랐다. 해서 언니에게는 임신 축하 선물을 주고 싶었고, 나도 솔 언니에게 택배 박스를 보내고 싶었는데 그렇게 하지 못했다. 나는 언젠가 들었던, 사랑도 받아 본 사람이 잘 받고 잘 준다는 말이 떠올랐다. 딱딱하게 굳은 내 표정을 어떻게 생각한 것인지 솔 언니가 내게 말했다. 갚지 않아도 된다고. 돌려받기 위해 준 게 아니라고. 그냥 맛있게 먹으면 된다고. 그걸로 충분하다고. 이런 게 익숙해질 수 있을까. 내가 이상한 걸까.

검은색 유니폼을 입은 직원이 주문을 받으러 왔다. 솔 언니와 해서 언니는 두 사람 이상이면 15% 할인이 되는 코스 요리를 시키기로 했다. 조금씩이라도 이것저것 먹고 싶다는 게 이유였다. 나는 메뉴판의 가격을 자세히 살피며 오늘이 주말 디너가 아닌 평일 런치라서 다행이라고 생각했다. 솔 언니는 오늘 어떻게 시간이 났을까. 평일 낮은 솔 언니가 출근해서 한창 일하고 있을 시간이었다. 해서 언니도 그게 궁금했는지 물었다.

"그런데 오늘 어떻게 둘 다 시간을 낸 거야?"

"월차 냈어."

"나는 스케줄 조정했어."

예전 같았으면 스케줄 조정은 생각도 못 했을 텐데, 시간을 내서라도 해서 언니를 축하하고 싶었다. 하루를 쉬더라도 월급이 같다는 솔 언니가 부러웠다. 하지만 나도 다른 알바생과 일정을 잘 맞춰 두어서 이번달에는 급여를 다 받을 수 있었다. 메뉴를 결정한 솔 언니가 물었다.

"음료는 뭐 마실래?"

영어로만 쓰인 메뉴판에는 이름을 알 수 없는 음료들이 한 면에 가득 나열되어 있었다. 해서 언니는 메뉴를 대강 훑어보고 메뉴판을 카메라로 찍더니 솔 언니에게 메뉴판을 건네며 말했다.

"종류가 엄청 많은데 잘 모르겠어. 뭐가 맛있어?"

"언니는 임산부니까 이거 어때."

솔 언니는 논 알코올 라임 모히토를 손가락으로 가리켰다.

"민서는 술 안 먹지? 나는 알코올 들어간 거로 먹으려고."

직원이 와서 빈 와인 잔에 물을 채웠다. 메뉴판의 음료 목록에서 가장 싼 것을 찾기 위해서 메뉴를 훑어보았다. 하지만 편의점에서 천 원이면 살 음료도 레스토랑 잔에 담기는 순간 육천 원이 되었다. 나는 평소에도 돈이 아까워서 편의점 음료수도 사먹지 않는다. 시킨다고 해도 즐겁게 마실 수 없을 것 같아서 나는 마음을 정했다.

"음료 엄청 비싸. 나는 그냥 물 마실래."

해서 언니가 내 허벅지를 꼬집었다. 바지 끝에 살이 집혀 아팠다.

"아, 왜."

"창피하니깐 좀 조용해."

해서 언니가 잔에 물을 채워 주는 직원을 곁눈질하며 작게 속

162

삭였다. 솔 언니는 물을 따르는 직원에게 자주 왔던 것처럼 능숙하게 메뉴 주문을 했다. 음료수의 한 잔당 가격은 편의점의 병당 가격보다 곱절은 비쌌고 술은 더 비쌌다. 괜히 목이 타서 물을 마시는데 직원이 먼발치에서 내 잔만 보고 있는지 자꾸 와서 물을 채워 주었다. 나는 몇 번 잔에 입을 댔다가 직원이 물을 채워 주지 않을 정도만 남겨 두고 물 마시기를 멈췄다. 잠시 후 해서 언니가 물을 마셨다. 해서 언니의 빈 잔을 보고 곧 직원이 올 것 같았다. 나도 남은 물을 모두 마시고 직원을 기다렸다. 직원이 해서 언니와 내 잔에 물을 채우고서 멀어졌다. 직원이 다녀가면서 테이블에 잠시 침묵이 흘렀다. 솔 언니가 침묵을 깨고 말했다.

"나 이사 가."

"갑자기?"

"어디로?"

솔 언니가 이사한다는 말에 해서 언니와 내가 거의 동시에 물었다.

"집 계약이 끝나서."

솔 언니가 물을 한 모금 마시며 입술을 축이더니 주저하다가 이어 말했다.

"전세 대출 받아야 하는데 통장 잔고가 좀 부족해. 이직한 지 삼 개월도 안 돼서 골치 아파졌어. 전셋값이 이렇게 오를 줄은 몰랐거든."

"이직은 또 언제 했어?"

솔 언니와는 요즘 거의 매일 연락하고 지냈는데 이사를 해야 한다는 것도, 얼마 전 회사를 이직했다는 것도 다 모르는 일이었다.

"어떻게 말을 하나도 안 했어."

서운한 내 목소리에 솔 언니가 말했다.

"문자나 전화로 말하긴 좀 그래서. 그래서 오늘 만난 거잖아. 그래서 그런데……."

직원이 식전주가 담긴 작은 잔을 테이블에 내려놓았다. 솔 언니는 하던 말을 멈추고 직원에게 물었다.

"이거 무알코올 맞죠?"

솔 언니는 아까 메뉴판을 보고 안 사실을 재차 직원에게 확인했다.

"네, 무알코올이에요."

"그럼 언니도 먹어도 되겠네."

솔 언니가 직원이 내려놓은 잔을 해서 언니와 내 앞에 더 가까이 두며 말했다. 해서 언니는 좋아하며 활짝 웃었다. 양송이 크림 수프, 단호박 수프, 샐러드가 차례로 나왔다. 직원은 음식을 다 서빙하고는 다른 테이블을 살피기 위해 떠났다. 해서 언니는 귀여워 보일 정도로 작은 그릇을 들어 보이며 말했다.

"나눠 먹으려고 했는데 양이 너무 적네."

"뭐 먹을래? 언니 축하하려고 만난 거니깐 언니가 먼저 골라."

해서 언니에게 솔 언니가 먼저 선택을 권했다.

"그럼 나는 부기 빼야 하니까 단호박 수프!"

"그럼 민서는 야채 싫어하니깐 양송이 수프 먹을래?"

"응, 양송이 수프 먹을래."

솔 언니는 야채를 별로 안 좋아하는 나에게 양송이 크림 수프를 주고는 샐러드 접시를 가져 갔다. 언니는 야채에 소스가 잘 묻도록 섞은 후 포크로 샐러드를 집어 씹기 시작했다.

"음, 그냥 풀 맛인데 유자 소스는 맛있어. 한번 먹어 볼래?"

"아니, 괜찮아."

나는 솔 언니의 권유를 거절하고 양송이 수프를 조금씩 떠먹었다. 고기가 들어갔는지 조금 짭짤하니 쇠고기 맛이 입에 맞았다. 따뜻한 수프를 삼키니 몸이 따뜻해졌다. 해서 언니도 수프가 맛있는지 단호박 수프를 크게 몇 번 떠먹더니 금세 그릇을 다 비웠다. 솔 언니가 추가로 주문한 칵테일과 해서 언니의 논알코올 라임 모히토가 먼저 나왔다. 직원은 칵테일 잔을 해서 언니와 솔 언니 앞에 두고 비어 있는 물잔을 다시 채운 후 빈 그릇을 치웠다. 칵테일 잔은 아래로 갈수록 좁아지는 모양이라 음료가 많이 들어갈 것 같지 않았다.

"이거 마시면 천국으로 간다고 이름이 '투 헤븐'이래. 그래서 좋아하게 됐어. 이름도 예쁘고 색깔도 예쁘지?"

바다 같아. 솔 언니가 중얼거리며 잔을 들어 몽롱한 시선으로 투 헤븐을 보았다. 칵테일 잔을 통과한 조명이 솔 언니의 얼굴에 내려앉아 안색을 푸르게 만들었다. 솔 언니는 잔 끝에 입술을 대고 투 헤븐을 조금 삼켰다.

"어때? 맛있어?"

해서 언니는 솔 언니의 투 헤븐이 궁금한지 물었다.

"응, 달달하고 딱 좋아. 맛있어."

"힝, 나도 먹고 싶어."

솔 언니가 다리로 트렁크를 잘못 건드렸는지 가방이 바닥으로 쓰러져 쿵 소리가 났다. 솔 언니는 허리를 굽혀 넘어진 가방을 일으켜 세웠다. 솔 언니는 테이블 위로 고개를 들어 흐트러진 머리카락을 정리하면서 말했다.

"아기 낳고 다음에 또 오면 되지."

곧 메인 메뉴가 식탁 위로 서빙되었다. 안심 스테이크와 등심 스테이크, 오일 파스타는 갓 만들어져 김이 모락모락 났고 먹음직스러워 보였다. 해서 언니는 먼저 음식 사진을 찍고 나서 나이프를 사용해 먹기 좋게 스테이크를 썰었다. 솔 언니는 해서 언니가 잘라 준 스테이크를 나와 해서 언니, 자신의 앞접시에 차례로 담았다. 하얗고 두꺼운 그릇이 조명을 받아 반짝거렸다.

여기 너무 예쁘다, 마음에 들어. 해서 언니는 음식 사진을 다 찍었는지 카메라를 셀카 모드로 변경하여 음식과 우리 모두의 얼굴이 모두 나오게 각도를 맞추었다. 배경에 죽은 꽃이 드리워졌다. 세 명의 얼굴이 충분히 담기지 않자 해서 언니는 가방에서 셀카 봉을 꺼내서 길게 폈다.

"셀카 봉은 언제 또 챙겼어."

헛웃음을 짓는 솔 언니에게 해서 언니는 남는 건 사진뿐이라며 나와 솔 언니에게 가까이 붙어 보라고 했다.

"고기 식어. 사진 그만 찍고 먹자, 좀."

"민서야, 표정 좀 풀어 봐."

솔 언니가 질린 내 얼굴을 보고 말했다. 그렇지, 남는 건 사진뿐이지. 나는 카메라를 보며 입꼬리를 위로 올렸다. 한동안 정지되어 있던 단톡방에 사진이 다시 올라왔다. 해서 언니는 사진을 저장하며 자기 얼굴이 잘 나왔는지를 거듭 확인했다.

"이 사진 잘 나왔지."

해서 언니는 내 얼굴에 굳이 핸드폰을 들이밀어 사진을 보게 했다. 사진 속의 솔 언니는 눈을 감았고 내 표정은 어정쩡했다.

"언니만 잘 나왔잖아. 인스타그램에 올리지 마. 다 찍었지? 이제 밥 좀 먹자."

해서 언니가 쳇, 하고 소리를 내며 나를 흘겨보았다. 나도 해서 언니를 같이 노려보는데 솔 언니가 작은 목소리로 말했다.

"그런데 있잖아······."

솔 언니는 말을 하려다 말고 계속 머뭇거렸다. 솔 언니 다리가 자꾸 트렁크를 건드리는 것인지 트렁크 바퀴가 바닥에 긁히는 소리가 들렸다. 해서 언니가 뭔데 그러느냐며 빨리 말해 보라고 솔 언니를 재촉했다. 솔 언니는 말하기가 어려운지 한참을 뜸을 들이더니 말했다.

"아까 하려다 못한 얘긴데 부담 가지라는 건 아니니깐 편하게 들어. 이번에 전세로 옮긴다고 했잖아. 전세 계약하려고 하는데 돈이 좀 부족해서 잠깐만 돈이 좀 필요해. 돈 좀 빌려줄 수 있어? 되게 미안하구 민망하다."

솔 언니는 정말 민망했는지 얼굴까지 빨개져서 손으로 부채질을 하며 붉어진 얼굴을 식혔다. 그런 솔 언니를 보고 해서 언니가 알은척을 했다.

"알아. 나도 급한데 어쩔 수 없어서 카드 론으로 빌렸다가 이자가 15%나 넘어서 얼마나 아까웠는데. 오늘 밥 먹은 거로 이자 받은 셈 칠게. 당분간은 여유가 있거든."

나도 해서 언니에게 동조했다. 솔 언니에게 받은 게 많아서 필요한 때에 도움이 되고 싶었다.

"그래서 얼마 필요해."

"천칠백 정도? 잠깐만 빌려주면 돼. 전세 계약하면 보증금 담보로 대출 나오니까 바로 돌려줄게."

"알아, 알아."

해서 언니가 더 설명할 필요도 없다는 것처럼 다 안다고 제발 그만 얘기하라고 손사래를 쳤다. 솔 언니가 건성으로 듣는 해서 언니를 걱정스럽게 보며 말했다.

"그래도 잘 들어야지."

해서 언니는 다시 너스레를 떨었다.

"우리가 어떤 사인데. 바로 돌려줄 거잖아. 나도 다 줄 수 있으면 좋겠는데 지금은 천만 원 정도만 가능할 거 같아. 지금 바로 보내 줄게."

해서 언니는 핸드백을 뒤적거렸다. 돈을 주고 싶은 마음이 급했는지 가방 속에서 해서 언니의 손이 자꾸 헛돌았다. 휴대폰을 꺼낸 해서 언니가 은행 앱을 켜고 솔 언니에게 계좌 번호를 물었다. 이렇게 큰돈은 보내 본 적이 없다며 부산스러운 해서 언니를 보며 솔 언니가 차분하게 대답했다.

"한 달이면 돼."

나도 충동적으로 입을 열었다.

"나도 좀만 일찍 말해 줬으면 더 줄 수 있었을 텐데……. 이번에 보증금 올리고 월세를 낮췄거든. 오백은 줄 수 있어."

오백은, 하고 말하는데 오백 원도 아니고 오백만 원이라는 게 기분이 이상했다. 솔 언니가 반색하며 기뻐했다.

"이백 정도는 내가 이번 월급 받고 아끼면 메꿀 수 있겠다. 너무 고마워. 한 달만 빌릴게."

"당장 급한 돈 아니니까 무리하지 말고 천천히 갚아."

해서 언니의 말에 솔 언니는 이상한 표정을 지으며 투 헤븐을 들이켰다. 나는 솔 언니의 얼굴을 살피며 물었다.

"표정이 왜 그래? 울어? 이 술 독한 술이야?"

"이게 뭐라고 그렇게 유난을 떨어. 보냈어. 확인해 봐."

해서 언니가 핸드폰 위를 손톱으로 몇 번 두드리더니 솔 언니에게 돈을 보냈다고 했다. 해서 언니의 말이 끝나자마자 솔 언니의 핸드폰에 진동이 바로 울렸다. 핸드폰으로 그렇게 큰돈이 쉽게 오갈 수 있구나. 해서 언니만큼 많은 액수는 아니지만 나도 이렇게 큰돈을 빌려주는 건 처음이었다. 사실 누군가에게 돈을 빌려주는 것 자체가 처음이다. 해서 언니를 따라 솔 언니에게 돈을 보내기 위해 앱을 열어 송금 버튼을 눌렀다.

"뭐지, 안 되는데. 한도 제한 계좌라는데?"

"뭔데, 봐 봐."

해서 언니가 내 액정에 뜬 경고 문구를 보고 말했다.

"이거 요즘 대포 통장 사기 때문에 월급 통장 인증해야 삼십만 원 한도 제한 풀어 주잖아. 삼 개월 일하면 될 걸?"

"나 알바한 지 삼 개월 됐는데?"

"한도는 은행에서 직접 풀어야 해. 나도 이번에 통장 새로 만들 때 그랬어. 예전엔 그냥 됐는데 좀 귀찮지. 한도 삼십이면 불편하지 않았어?"

"지금 알았는데 뭐가 불편했겠어. 아, 나도 지금 주고 싶다."

"부족한 돈은 내가 알아서 해 볼게. 이렇게 해 준 것만으로도 충분해. 너까지 그러지 않아도 괜찮아."

솔 언니는 투 헤븐을 조금 더 마셨다. 몇 번 홀짝이지도 않았는데 술은 금세 바닥이 났다.

"빨리 먹자. 다 식겠다."

나는 올리브오일에 버무려진 촉촉해 보이는 파스타면을 말았다. 포크가 그릇을 긁으며 듣기 싫은 소리를 냈다.

식당을 나온 우리는 바로 은행으로 향했다. 내가 오늘 꼭 돈을 주겠다고 고집을 부려 괜찮다는 솔 언니를 끌고 은행에 왔다.

"지금 당장 안 줘도 된다니까."

번호표를 뽑는 나를 솔 언니가 다시 만류했다. 배가 부르니까 더 피곤하다면서도 은행까지 따라온 해서 언니는 은행에 도착하자마자 화장실에 갔다. 번호표에 찍힌 대기 번호는 149번이었다. 나는 전광판을 확인했다. 내 앞에 스물한 명의 대기자가 더 있었다. 창구 쪽을 보니 창구는 네 개인데 두 곳은 비어 있었고 1번 창구와 4번 창구에만 은행원이 앉아 있었다.

"오래 걸릴 수도 있겠는데. 해서 언니는 먼저 집에 가라고 할까."

"그니까 꼭 오늘 안 해 줘도 괜찮다니까."

돈이 필요하면서도 꼭 내가 주지 않길 바라는 사람처럼 구는 솔 언니가 이상했다. 어쩌면 솔 언니도 나처럼 도움은 잘 주면서도 받는 건 어색해하는 성격일 수도 있겠다는 생각이 들었다. 조금 전에 식당에서 돈이 필요하다고 말하며 붉어졌던 솔 언니의 얼굴이 생각났다.

"어차피 계좌 이체 한도가 너무 작아서 은행에 한번은 왔어야 했어."

화장실에서 나온 해서 언니는 우리 근처에 앉지 않고 조금 떨어진 구석 쪽 등받이가 있는 의자에 가서 등을 기대고 앉았다. 해서 언니는 의자 위에서 조금 뒤척거리더니 얼마 안 가 꾸벅꾸벅 졸기 시작했다.

한참 졸던 해서 언니가 다시 화장실을 간 사이 내 차례가 되었다. 내 순서를 알리는 알림 벨이 울렸다. "149번 고객님, 1번 창구로 오십시오." 하는 반가운 안내 음성을 듣고 나와 솔 언니는 자리에서 일어섰다. 창구에 의자가 두 개 있어서 우리 둘은 나란히 앉았다.

"149번 고객님, 제가 도와드리겠습니다."

은행 직원의 목소리는 안정되고 친절하게 들렸다.

"제가 통장 이체 한도를 늘리려고 하는데요. 한도 제한 계좌라고 해서요."

"네, 고객님. 먼저 신분증 제출해 주세요."

나는 창구 앞에 있는 네모난 그릇에 신분증을 올려놓았다. 은행 직원은 내 신분증을 가지고 가서 숫자 패드를 탁탁탁 빠르게 쳤다.

"한도 변경하시려는 게 이 계좌가 맞으신가요?"

창구 앞 태블릿 피시 화면에는 내가 한도를 변경하려는 계좌가 벌써 띄워져 있었다.

"네, 맞아요."

"맞으시면 오른쪽 키패드에 비밀번호 네 자리를 눌러 주세요."

오른쪽을 보니 검은색 작은 키패드가 있었고 나는 비밀번호 네 자리를 틀릴세라 한 자씩 꾹꾹 눌렀다. 은행 직원에 비하면 빠르지도, 일정하지도 않은 속도였다.

"1일 한도와 월 한도는 얼마로 하시겠습니까?"

"음, 1일 한도는 오백만 원으로 하고 월 한도는 천만 원으로 할게요."

내 대답을 듣자마자, 직원은 다시 빠르고 일정한 속도로 키보드를 두드렸다. 직원의 손가락은 틀림이 없어 보였다. 나는 직원의 얼굴을 보았다. 머리카락을 위로 올려 묶었고 이마 위에

173

잔머리 하나 허투루 나오지 않은 것이 매사가 정확하고 싹싹해 보였다. 나는 다시 태어나도 저런 모습은 되지 못할 거라고 생각했다. 갑자기 돌다리를 건너다 물에 빠진 일이 떠올랐다. 저런 사람은 태어날 때부터 물이끼에 미끄러지지 않고도 돌다리를 건너는 방법을 알고 있을 것만 같았다. 그런 은행 직원이 부러우면서도 일정하게 반복되는 키보드 소리에 마음이 편안해졌다.

"그럼 확인하시고 서명 부탁드립니다. 태블릿 화면을 넘기시면서 서명해 주시면 됩니다."

"여기에 네 이름 쓰면 돼."

옆에서 보고 있던 솔 언니가 말해 주어 펜을 쥐고 태블릿에 서명했다. 솔 언니가 화면을 같이 보며 옆으로 넘겨 주었다. 서명해야 할 페이지가 열한 장이나 되었다. 종이가 아니어서인지 이름이 예쁘게 써지지 않았다. 내가 서명을 하는 동안 은행 직원은 내 신분증을 가지고 가서 복사하고는 다시 자리로 돌아왔다. 뒤를 돌아보니 화장실에 갔다 돌아온 해서 언니는 은행 소파에 몸을 기대어 다시 꾸벅꾸벅 졸고 있었다. 이제 문을 닫을 시간이 되어서 그런지 손님이 거의 빠져서 한산했다. 4시가 되자 직원들이 서둘러 문을 닫았고 밖에서는 셔터 내려가는 소리가 들렸다. 셔터를 내린 후의 은행은 고요했다. 창구의 몇몇은 벌써 자리를 비웠고 직원들이 남아 있는 자리에서는 이따금 규칙적이고 빠른 속도로 두드리는 키보드 소리가 들렸다. 해서 언니와 술 언니가 같이 와서일까 하나도 불안하지 않고 마음이 편안했다. 나는 모든 것이 잘되어 간다는 근거 없는 확신이 들었다.

"그럼 마지막으로 이 계좌로 오백만 원 송금해 주세요."

현관에 쌓인 택배 상자를 뜯었다. 배송 오는 중에 여기저기 굴러다녔을 택배 상자를 만지니 손끝이 금세 건조해졌다. '칼로 자르지 마시오.'라고 경고 문구가 쓰여 있는 테이프를 짧은 손톱으로 긁어 조금씩 떼어 내었다. 테이프의 끝을 꼬집어 잡고 힘껏 잡아당겼다. 테이프가 떨어지며 거친 소리를 냈다. 내용물을 꺼내고 상자를 납작하게 접어 현관 구석에 세우기를 여러 번. 현관문 옆에는 납작해진 종이 박스가 차곡차곡 쌓였다. 언니들과의 식사를 마치고 술 언니에게 돈 봉투까지 쥐여 주고서 집에 돌아온 날 나는 결국 탈이 났다. 입맛이 좋지 않아 적게 먹은 게 얹혀서 그런지 시원하게 게워지지도 않았다. 그렇게 하루 저녁을 꼬박 앓다가 아침이 되어 전날 점심으로 먹은 것을 다 게워 내고서야 나는 편안해졌다.

그날 이후 술 언니는 더 이상 택배를 보내지 않았다. 돈을 빌려준 뒤로는 이상하게도 어떻게 대화를 시작하든 매번 술 언니의 고맙다는 말로 대화가 끝났다.

175

'돈 빌려준 거 고마워.'

솔 언니에게 또 고맙다는 메시지가 왔다. 솔 언니에게 고맙다는 메시지를 받으면 그날의 대화는 끝이 났다. 솔 언니에게 아무것도 주지 않았을 때보다 내 것을 나누어 주고 난 후 우리는 더 멀어진 것 같았다. 그날의 고양되었던 감정이 바보같이 느껴졌다. 솔 언니가 해서 언니의 돈은 받았지만 내 돈은 한사코 사양했던 게 생각났다. 돈이 필요했지만 내게는 돈을 빌리고 싶지 않았을지도 모른다. 그런 마음을 무시하고 내가 돈을 줘 버렸기 때문에 우리 관계가 어색해진 걸까. 역시 주고받는 것은 이상하고 어렵다. 문득 솔 언니가 왜 나와 해서 언니에게 계속 주려고 했을까 하는 의문이 들었다. 그만 보내라고 할 때는 듣지도 않더니 갑자기 뚝 끊긴 택배가 서운하게 느껴졌다. 아니, 서운한 게 아니라 불안했다. 내가 돈을 빌려주는 바람에 서로의 마음이 달라진 걸까. 나는 불안했고 솔 언니는 이런 내가 불편한 것 같았다. 친한 언니와 동생 사이에서 돈을 빌리고 빌려준 관계가 되어 버렸다. 그래서 그런지 솔 언니는 예전처럼 나를 챙기지도, 먼저 연락을 하지도 않았다. 내가 연락하면 다시 고맙다고 말하며 연락을 끊는 것은 솔 언니였다.

포털 사이트에 나 같은 사람이 있나 검색해 보았다. 다행스럽게도 혼자가 아니었다. 심지어 아주 많았다. '친한 언니에게 돈을 빌려줬어요.'를 검색하니 나오는 페이지가 끝도 없이 이어졌다.

'아는 언니에게 돈을 빌려줬어요. 그런데 그 언니가 연락이 안 돼요. 어떻게 할까요.', '친언니에게 돈을 빌려줬습니다. 빌려줄 때는 그렇게 고맙다고 하더니 지금은 그 얘기만 해도 화를 내요. 어떡하죠?', '친한 동생이 급하다고 큰돈을 빌려 달라고 하네요. 정말 친한 동생인데 이거 빌려줘도 괜찮을까요?' 답변은 지인에게 돈을 떼여 본 경험이 있는 사람들이 쓴 것 같았다. 친한 사이에도 돈은 절대 빌려주지 말라는 이야기가 대세였고, 정 빌려줄 거면 돌려받을 생각 하지 말고 그냥 주라는 식의 조언들도 많았다.

인기 있는 글 중에는 '친한 사람에게 돈을 빌려주면 안 되는 이유, 가족끼리도 돈을 빌리면 안 되는 이유' 같은 것도 있어 나는 덜컥 겁이 났다. 결론은 빌린 것도 잘못, 빌려준 것도 잘못이었다. 나는 인터넷 창을 닫았다. 갑자기 오던 택배가 안 오니 이상하고 불안하다는 말을 솔 언니에게 할 수는 없어서 해서 언니에게 연락했더니 솔 언니가 이번 달에 돈을 바짝 조이느라 못했지만 다음 달엔 밥 한번 사겠다고, 내게도 진짜 고맙다고 전해 달라고 했단다. 해서 언니는 걔는 뭐 이런 거로 그러느냐며 가볍게 말했지만 나는 해서 언니의 가벼운 반응에 더 불안해졌다.

오후에는 편의점에서 알바를 했다. 나도 솔 언니와 해서 언니처럼 전세로 옮기고 싶은 마음에 주말에도 일을 늘리고 은행 직원이 추천해 준 적금도 하나 들기로 했다. 한 달만 기다리면 모든 게 다시 제자리로 돌아갈 거다. 솔 언니는 내게 빌린 돈을 갚고, 나는 주고받는 걸 배우고, 우리의 관계는 더 돈독해질 것이다.

　솔 언니에게 돈을 빌려주고서 한 달이 흘렀다. 주말까지 일하느라 예전보다 솔 언니와 자주 연락을 주고받지 못했다. 바빠진 나에게 솔 언니는 다시 종종 먼저 안부를 전해 왔다. 해서 언니 때와 마찬가지로 인간관계가 불안할 때는 바쁘게 일을 하면서 시간을 보내는 것이 좋은 방법이라는 생각이 들었다.
　해서 언니의 출산 예정일이 조금씩 다가오고 있었다. 출산이 가까워질수록 언니의 배는 커다랗게 불러 왔다. 그런 모습을 볼 때면 나는 대신 숨이 막히는 듯한 기분이 들었다. 이건 일 때문에 바쁘다고 해도 해결될 것 같지 않았다. 이번에도 축하하지 못하면 어떡하지. 그룹홈 안에서의 임신은 처리하고 수습해야 하는 일이지 기쁜 일이 아니었다. 생각해 보면 당연하다. 우리는 미성년자였으니까. 사회 복지사 선생님들은 그런 불미스러운 일이 없도록 해야 한다고 우리에게 늘 주의를 주었다. 해서 언니같이 쉬지 않고 남자 친구를 만나고 바꾸는 아이는 감시 대상이었다. 나 또한 해서 언니의 임신을 반기지 못했던 날이 떠올랐다. 완벽이를 마주하고도 그럴까 봐 나는 완벽이를 보는 게 두렵다. 해서 언니의 부푼 배 안에 작은 아이가 살고 있다는 건 이제 의심할 수도 없었다. 완벽이의 무게는 해서 언니가 버티고 있는데도 내가 함께 지고 있는 것처럼 무겁게 느껴졌다. 나는 아직도 컨테이너 앞에 웅크리고 앉아 있는 6살 아이로 돌아갈 때가 있었다. 기다림이란 두려운 것이었다. 어릴 때부터 엄마가 도망갔다는 말을 듣고 자란 아이에게 부모란 언제든 없어질 수 있는 존재였다. 나는 아빠도 언젠가 나를 버리지 않을까 늘 두려웠다. 그게 언제일지는 알 수 없었지만 그 헤어짐이 오늘은 아니기를 바라는 것 외에 할 수 있는 일은 없었다. 기다림 끝에 아빠가 돌아올 때면 나의 마음은 희망으로 가득 찼고 그때는 그거면 되었다. 하지만 나의 부모는 그마저도 바랄 수 없는 사람이었다. 오랜 기다림 끝에 아무도 없다는 사실을 알아차린 그 아이는 불행했을까. 모르겠다. 세상이 무너지는 슬픔을 불행이라는 두 글자에 담기엔 그 그릇이 너무 작게 느껴졌다.

한참 생각에 잠겨 있다 보니 새벽 2시였다. 잠이 안 와서 뒤척거리다가 핸드폰을 보니 솔 언니에게서 전화가 오고 있었다. 이 시간에 무슨 일일까. 나는 황급히 통화 버튼을 눌렀다. 이 시간에 무슨 일이냐는 물음에 기대했던 솔 언니의 목소리가 아닌 낯선 목소리가 돌아왔다. 그 목소리는 사무적인 말투로 병원 응급실이라고 말했다. 응급실인데 왜 솔이 언니 번호로 연락을 하

179

셨느냐는 질문이 떨리는 목소리로 나왔다. 그는 환자가 숙소에서 쓰러진 채로 발견되었다고 했다. 가족과는 통화가 잘 안 돼서 최근 연락을 주고받은 나에게 전화를 걸게 되었다고, 나에게 환자의 가족과 연락할 수 있는지 물었다. 어떤 상황인지 모르겠지만 솔 언니는 환자가 되었고 상황이 급한 것 같았다. 솔 언니에게는 챙겨 줄 가족이 없으니 내가 가야 했다. 자세한 이야기는 병원에 오면 얘기해 주겠다고, 환자가 의식이 없어서 보호자가 필요하다는 말에 나는 급하게 집을 나섰다. 택시가 느리게 잡혔다.

정신없이 병원으로 달려온 나는 응급실 내부부터 살폈다. 새벽의 응급실은 환자들과 의사들로 어수선했다. 무슨 일인지 얼굴을 다쳐 피를 흘리고 있는 사람도 있었고 술에 취해 검사를 받지 않겠다고 하얀 가운을 입은 의사와 실랑이를 벌이는 사람도 있었다. 얼굴이 피범벅인 사람이 있는데도 의사들은 다른 일에 정신이 팔려 신경 쓸 겨를이 없는 것처럼 보였다.

"의사 선생님, 애가 얼굴이 다쳐서 피가 안 멈추는데 여기 먼저 봐 주셔야 하는 거 아니에요? 벌써 여기서만 두 시간째 기다리고 있거든요."

아이의 엄마인 건가. 하지만 침대에 누운 사람은 나와 비슷한 또래 정도로 보였다. 그래도 '아이'라고 하는 건가. 하지만 의사는 이미 피는 멈췄고 검사를 했으니 검사 결과를 기다리라고 당부했다. 고개를 돌려 다른 환자에게로 향하는 의사의 뒷모습이 바빠 보였다.

"아니, 애 얼굴에 흉 지면 어떡하라고."

"엄마, 나 괜찮아. 근데 좀 추워."

구급차가 오가며 이동 침대로 환자를 옮기는 바람에 입구가 열려 있어서 응급실 내부는 조금 썰렁했다. 그 엄마는 어디서 두툼한 초록 담요를 구해 와서 아이의 목 끝까지 덮어 주고는 그것도 부족했는지 자신의 외투까지 벗어 담요 위를 덮었다.

나는 솔 언니보다도 솔 언니의 트렁크를 먼저 발견했다. 침대 아래에 놓인 가방의 손잡이는 피로 보이는 어두운 갈색의 액체가 덕지덕지 말라붙어 지저분했다. 침대에 반듯하게 누운 솔 언니는 눈을 감고 하얀 시트를 덮고 있었다. 시트만큼이나 피부가 창백했다. 나는 겁이 났다. 얼굴이 붉은 피로 덮여 있는 환자에 비해 솔 언니는 생명의 흔적이 부족해 보였다. 나는 미동도 없는 언니의 모습에 겁이 나 솔 언니의 코밑 가까이 집게손가락을 대 보았다. 손가락에 언니의 따뜻한 숨결이 닿자 안심했다. 임신하고서도 답답하다며 하루에 한 번씩은 밖에 나가서 걷고 햇볕을 쬐는 해서 언니와는 달리 솔 언니와 나의 피부는 해를 등진 생활로 창백했다. 한 달 사이에 무슨 일이 있던 것인지 솔 언니의 몸은 비쩍 마르고 볼은 푹 패었다. 버석한 입술은 하

181

얇게 일어나 있었다. 나는 나중에 솔 언니를 끌고 햇볕 아래를 걸어야겠다고 생각했다. 솔 언니의 왼쪽 팔에 감긴 붕대가 엉성하고 뚱뚱하게 보였다. 오른쪽 팔로는 링거액이 들어가고 있었다. 눈 밑이 까매서 피곤해 보이는 의사가 허둥대며 가까이 왔다. 그의 가운에 달린 명찰을 보니 인턴이라고 쓰여 있었다.

"지혈은 다 되었고요. 아직 의식은 없는데 곧 돌아올 거예요. 그러면 링거 다 맞고 집에 가셔도 돼요. 약도 많이 삼켜서 위세척했고요. 그나마 마지막에 의식이 있을 때 119에 직접 신고를 한 모양이에요. 너무 늦지 않아서 운이 좋았어요. 저 트렁크에는 뭐가 들어 있었는지 환자 분이 꼭 끌어안고 계셨다고 해요. 구급대원 분이 같이 가지고 오셨어요. 이따 갈 때 챙겨 가세요."

솔 언니는 새벽 5시가 되도록 깨어나지 못했다. 의식이 없는 게 아니라 잠이 든 건 아닐까. 의사들은 생각보다 의식을 찾는 게 늦어진다며 몇 번 들러 눈꺼풀을 들고 동공에 빛을 비추어 보았다. 나에게는 응급 처치가 끝났고 의식이 깨어난다면 입원은 하지 않아도 된다고 했다. 날이 밝으면 상처 봉합을 위해 외래 진료를 받는 게 좋을 거라고 당부했다. 여기서 상처를 꿰매도 되지만 팔목에 흉이 크게 남을 것 같으니 성형외과에 가서 봉합하는 게 좋겠다는 말도 덧붙였다. 나는 솔 언니와 마지막으로 연락을 주고받은 게 임신 중인 해서 언니가 아니라 나여서 다행이라고 생각했다.

기척이 느껴져 침대 쪽을 보니 솔 언니가 눈을 뜨고 있었다. 솔 언니는 내 얼굴을 보고 상황을 파악한 것 같았다. 슬프면서도 착잡해 보이는 복잡 미묘한 표정들이 언니의 얼굴을 스쳐 지나갔다. 다시 무표정한 얼굴이 된 솔 언니는 무언가 말하려고 입술을 달싹였다가 입을 다물었다. 나도 막 의식을 차린 언니에게 무언가 말하려고 입을 열었다가 어떤 것도 언어로 만들어 내지 못하고 입을 다물어 버렸다.

"……."

"……."

솔 언니와 나 사이에 침묵이 흘렀다. 구급차가 들어오고 나가는 소리와 환자 수에 비해 적어 보이는 의사들이 분주하게 움직이는 소리가 들렸다. 침대 바퀴가 구르는 소리, 환자들의 앓는 소리, 사람들이 응급실 바닥을 차고 탁탁탁탁 바쁘게 오가는 소리들이 쉼 없이 이어졌다. 대기하는 환자들은 의사들이 곁을 지나가거나 차트를 작성하느라 걸음을 멈출 때면 그들을 붙잡고 언제쯤 병실에 들어갈 수 있는지, 언제까지 기다려야 하는지 불만스러운 목소리로 물었고, 의사들은 절차가 있으니 좀 기다려 보시라는 말만 사무적으로 내뱉고 자리를 떠났다.

솔 언니의 핸드폰이 울렸다. 해서 언니였다. 솔 언니는 전화를 받지 않았다. 곧 나에게도 전화가 걸려 왔다. 나는 받을까 말까 잠시 고민하다가 통화 버튼을 눌렀다.

"여보세요. 어, 언니. 솔 언니랑 같이 있어. 지금 응급실인데 별일 아니야. 조금 다쳤는데 지금 괜찮아져서 조금 이따 병원 열면 치료받고 갈 거야. 언니는 자고 있어. 이따 갈게."

링거액이 떨어지며 솔 언니의 혈관으로 한 방울씩 흘러 들어 갔다. 솔 언니의 몸에 연결된 기계가 심박수를 알려 주었다. 잘 모르는 내가 보기에도 언니의 심장 박동은 불안정해 보였다. 인 턴은 약을 한꺼번에 많이 먹었기 때문에 그런 거라고, 처음 왔 을 때보다는 안정을 찾아가고 있다고 설명했다. 솔 언니는 할 말을 고르다가 이내 포기했는지 다시 눈을 감았다. 자는 것 같 진 않았다. 나는 한참 솔 언니의 감긴 눈을 바라보았다. 눈물 자 국 같은 게 언니의 볼에 하얗게 말라붙어 있었다. 난 그 자국을 눈으로 매만지듯 여러 번 보았다. 언니의 얼굴에 고정되어 있던 시선을 침대 아래쪽으로 옮기자 중고로 내다 판다던 트렁크가 다시 시선을 잡아끌었다. 내가 붙였던 스마일 스티커의 한쪽 눈 과 시선이 마주친다.

그사이 해서 언니에게 여러 번 전화가 왔다. 병원 위치가 어 디냐고, 응급실은 어느 쪽에 있느냐고 두 번 정도 전화를 걸어 와 물었다. 안 와도 된다고, 오지 말라고 했는데도 전화기를 타 고 들려온 소리는 언니가 이동하고 있음을 알려 줬다. 결국 해 서 언니는 병원까지 왔다. 침대에 누운 솔 언니를 본 언니의 표 정이 멍했다. 솔 언니는 해서 언니가 온 줄도 모르고 여전히 눈을 감고 있었다.

"오지 말라니까 뭐 하러 왔어."

간밤에 잠을 자지 못한 것인지 해서 언니의 눈가가 어둡고 피곤해 보였다. 내 목소리를 들은 솔 언니가 눈을 뜨고 몸을 일으켰다.

"야, 이 나쁜 년아."

해서 언니가 만삭의 몸으로 날렵하게 움직였다. 움직임을 전혀 예상하지 못했던 나는 해서 언니가 솔 언니에게 다가가는 것을 막지 못했다. 해서 언니가 기운이 없어 구부정하게 앉은 솔 언니의 등을 퍽퍽 소리 나게 때렸다. 소리가 꽤 커서 아플 것 같았지만 솔 언니는 아무 소리도 내지 않았다. 비쩍 마른 솔 언니의 굽은 등이 산 사람 같지 않다. 한 대도 때릴 구석 없어 보이는 작은 등을 몇 번이고 힘껏 내려치는 해서 언니가 대단해 보였다. 식식거리던 해서 언니의 숨소리가 점점 흐느낌으로 바뀌었다.

주위의 이목이 우리에게로 쏠렸다. 아까 솔 언니의 상태에 대해 설명하던 인턴이 허둥지둥 달려왔다. 여기서 이러시면 안 됩니다. 산모님, 만삭인데 아기 생각하셔야죠. 심호흡하세요. 환자분도 아직 안정을 취해야 해요. 나는 솔 언니를 다시 눕히고 식식거리는 해서 언니도 보호자 의자에 앉혔다. 솔 언니는 내가 눕혀 주는 대로 천장을 향해 누웠다가 해서 언니의 반대쪽

으로 돌아누웠다. 무슨 일인가 관심을 보이던 환자들과 환자의
보호자들은 우리가 조용해지자 다시 자기들에게로 시선을 돌
렸다. 이런 상황에 아빠가 생각나는 것도, 우리가 가족 같아 보
인다는 생각이 드는 것도, 그리고 가족 같은 게 조금도 기쁘지
않다는 것도 다 이상했다.

솔 언니가 링거를 다 맞은 후, 우리는 성형외과로 갔다. 큰 병
원이라서 병원 내에 성형외과도 있었다. 9시부터 진료를 시작
한다는데 당일 진료는 예약 환자를 먼저 본 후 그날 접수한 환
자들을 순서대로 본다고 했다. 당연히 우리가 가장 먼저 가 있
을 줄 알았는데 진료를 시작하기 한 시간 전부터 먼저 온 환자
들이 의자에 앉아 진료를 기다리고 있었다. 그들 사이에서 진
짜 환자처럼 보이는 건 솔 언니밖에 없었다. 사람들은 솔 언니
의 팔에 감긴 붕대를 힐끔거렸다. 진료가 시작되고 간호사는 접
수한 환자들을 순서대로 호명했다. 진료실이 세 개나 있어서 금
방 볼 수 있을 것 같았다. 환자들은 얼굴에 하얀 팩 같은 것을 붙
이고 나와서 잠깐 기다리다가 간호사가 부르면 다시 들어가서
얼굴에 붙인 팩을 떼고 나왔다. 팩을 뗀 자리가 울긋불긋해 보
였다. 이곳의 필수품인지 다들 맞추기라도 한 것처럼 캡 모자
를 푹 눌러쓰고 있었다. '슈링크 300샷, 맞춤형 리프팅, 피부 탄
력 개선, 얼굴 라인 개선, 이중 턱 개선, 사각 턱 개선, 보톡스, 미

백 주사' 같은 광고가 벽면에 가득했다. 다들 저걸 하려고 아침부터 와서 기다리는 거구나. 정수기 옆에 앉아서 자꾸 우리를 힐끔대는 아저씨와 시선이 마주쳤다. 나와 눈이 마주치자 아저씨는 시선을 돌렸다. 간호사가 솔 언니의 이름을 불렀다. 해서 언니는 밖에 앉아 기다리고 내가 솔 언니와 함께 진료실 안으로 따라 들어갔다. 솔 언니는 말없이 의사에게 붕대가 감긴 팔을 내밀었다. 의사는 별말 없이 붕대를 풀고 솔 언니의 팔을 살폈다.

"이 상처 어쩌다 난 겁니까."

의사가 질문했다. 솔 언니는 말이 없었다. 한숨을 쉬더니 의사가 다시 물었다.

"그럼 언제 다친 건가요."

"어제 새벽에 그러는 바람에 아침에 병원 문 열 때까지 기다렸어요."

말이 없는 솔 언니 대신 내가 대답했다.

"시간 지나면 안 좋은데………."

의사는 다시 한번 한숨을 쉬었다.

"상처 봉합하고 정신 건강 의학과 연계해 드릴게요. 거기도 예약해서 진료받고 가세요."

나는 단도직입적인 의사의 말에 놀랐고 이미 다니는 병원이 있다는 솔 언니의 대답에 한 번 더 놀랐다. 의사는 치료하면서도 여러 번 한숨을 쉬었다. 할 말은 많은데 하지 않는 것 같았다. 솔 언니의 상처를 더 커 보이게 했던 뚱뚱한 붕대는 성형외과 의사가 상처를 봉합한 후 붕대를 새로 감은 후에야 군더더기 없이 깔끔해졌다. 입원은 필요하지 않다고 했다. 상처를 다 봉합하자, 솔 언니는 열이 오르기 시작했다. 상처를 다시 건드리면서 뒤늦게 열이 나는 것 같았다. 솔 언니가 통증을 호소했지만 이미 삼킨 약이 많아서 진통제를 먹을 수 없었다. 의사는 오늘까지는 좀 참아 보라고 했고 자기 전까지도 힘들면 저녁에 한 알만 먹고 자라며 항생제와 함께 진통제를 처방해 주었다.

진료를 다 보고 병원 앞에 멀뚱히 서 있던 솔 언니와 나에게 해서 언니가 먼저 말했다.

"같이 가자."

침묵을 깬 해서 언니의 말이 반가워서 나는 그래, 그러자며 서둘러 대꾸하고 발을 옮기려는데 솔 언니가 말했다.

"나 같은 걸 왜 데려가."

왜 그래, 그냥 가. 나는 해서 언니의 눈치를 살피며 솔 언니에게 속삭였다. 해서 언니는 그런 나를 흘깃 보더니 솔 언니에게 말했다.

"어차피 갈 데도 없잖아. 그 꼴을 하고 어디를 가."

해서 언니와 나의 시선이 동시에 솔 언니의 피로 얼룩덜룩한 작은 트렁크에 머물렀다. 어휴, 내 팔자야. 해서 언니는 중얼거리더니 등을 돌려 걸었다. 해서 언니는 두 손으로 아랫배를 받치고 택시 정류장으로 빠르게 걸어갔다. 나는 솔 언니의 다치지 않은 팔을 붙잡고 한 손으로는 솔 언니의 트렁크를 끌며 해서 언니를 따라 걸었다.

해서 언니가 공동 현관문 안으로 들어섰다. 등이 고장 난 공동 현관문 안쪽은 어두웠다. 솔 언니는 들어가고 싶지 않은지 해서 언니를 따라가지 않고 바깥에서 머뭇거렸다. 나는 그런 솔 언니를 보고 해서 언니에게 말했다.

"언니, 먼저 들어가. 나는 솔 언니랑 좀 이따 들어갈게."

나는 해서 언니에게 먼저 들어가 보라는 손짓을 했다. 해서 언니가 탐탁지 않은 시선으로 솔 언니를 보더니 고개를 끄덕였다. 아직 낮인데도 복도는 어두웠다. 해서 언니가 집에 들어가고 현관문이 완전히 닫히고 나서야 고장 난 등이 아무도 없는 복도를 번쩍이며 비추었다. 그러고서도 한참 동안 복도는 어둠에 삼켜졌다 밝아지기를 반복했다.

솔 언니와 나는 조금 걸었다. 근처 편의점에서 나는 온열 진열장 안에 든 캔 초코 음료 두 개를 샀다. 음료는 천 원이었는데 원 플러스 원 상품이라 천 원에 두 개를 살 수 있었다. 한 캔에 오백 원인 셈이었다. 나는 솔 언니에게 준 오백을 생각했다. 캔 초코 하나를 솔 언니에게 건넸다. 언니는 한 손으로 음료를 받왔다. 나는 두 손으로 따뜻한 캔을 감싸 쥐고 걸었다. 근처에 놀이터가 있었다. 우리는 자연스럽게 그네에 앉았다. 어려서부터 나는 그네를 좋아했다. 설, 솔 언니도 그랬다. 해서 언니는 유치하다고 싫어했다. 동네 놀이터에는 그네가 두 개밖에 없었는데 설, 솔 언니가 얌체처럼 서로 그네를 맡아 주는 바람에 혼자인 나는 늘 기다려야 했다. 오늘은 기다릴 필요가 없었다. 솔 언니는 붕대가 감긴 손으로 어설프게 줄을 잡으려고 했다.

"하지 마. 실밥 터져."

상처가 아물 때까지 무리하게 움직이지 말라는 의사의 말을 떠올린 내가 제지했다. 솔 언니는 손가락을 쥐었다 폈다 해 보더니 그넷줄에서 손을 떼었다.

"바닥인 줄 알았는데 더 바닥이 있더라. 이것보다 더 바닥도 있을까 봐 사는 게 너무 무서워."

솔 언니의 목소리가 갈라져 나왔다. 다 쉬어 버린 목소리에 나는 놀랐지만 내색하지 않으며 아무렇지 않은 척 말했다.

"나는 매일 밤 영원히 잠들게 해 달라고 빌어. 고등학교 때는 언니처럼 약도 먹었어. 지금도 병원 가면 약 먹으라고 할지도 몰라."

하지만 약을 먹더라도 기분이 나아지는 정도이지 내면의 공허함과 불안이 해결되지는 않았다. 이게 슬픈 얘기였던가. 아무렇지 않은 것처럼 담담하게 말하려고 했는데 처음 밖으로 내

뱉어 본 나의 이야기에 목소리가 떨려 나왔다. 이런 말을 다른 사람한테 한 건 이번이 처음이라 그런 것 같았다. 나는 목소리를 가다듬고 이어 말했다.

"그래도 언니처럼은 안 해. 언니는 배신자야."

내 말에는 대답도 안 하고 솔 언니는 바닥을 보며 자기 이야기를 했다.

"할머니한테는 오래전부터 죽음의 냄새가 났어. 손녀도 아들도 알아보지 못하는데 돈은 계속 들어가. 할머니는 설도, 나도 아무도 기억 못 해. 그런데도 가족이라는 이유 하나로 할머니를 놓을 수가 없어. 차라리 내가 아무것도 기억하지 못한다면 좋을 텐데."

나는 사라진 해서 언니를 찾다가 솔 언니와 다시 만났던 날, 솔 언니에게 들었던 이야기를 떠올렸다. 할머니는 치매에 걸렸고 그래서 요양원에 갔다고 했던 솔 언니의 말을. 어떻게 그 말을 무심코 지나칠 수 있었을까. 주말에 솔 언니와 만나기는커녕 연락하기도 어려웠던 것도, 갑자기 솔 언니에게 돈이 필요해진 것도, 모두 이해가 됐다. 나는 왜 아무 생각도 없이 언니의 할머니가 살아 계신 것만으로도 다행이라고 생각했을까. 종종 살면서 바보 같다거나 순진하다는 이야기를 들은 적이 있었다. 그때는 그게 무슨 말인지 이해하지 못했는데 이제야 알겠다. 내가 바보같이 순진했다. 그동안 할머니를 돌보는 것은 솔 언니 혼자의 몫이었을 거다. 나는 내 생각만 했구나. 솔 언니는 왜 죽을 만큼 힘들다고 말하지 않았지. 자신의 상황을 충분히 설명하지 않은 솔 언니가 미웠다. 괜히 속상하고 미안한 마음에 말이 모질게 나왔다.

"그럴 거면 왜 살았어. 언니가 119에 전화했다며."

그래서 정말 다행이라고 생각하면서도 말은 왜 따뜻하게 하지 못할까. 따뜻한 말을 들어본 적이 별로 없어서 그런 걸까. 만약, 정말 그런 이유로 내가 모진 거라면 그건 정말 슬픈 일이다.

"그러게. 이번에는 정말 죽을 수 있을 것 같았는데 마지막엔 살고 싶더라. 웃기지."

솔 언니의 말은 하나도 웃기지 않다. 마음이 답답했다. 나는 솔 언니에게 화풀이하듯 울분을 내뱉었다.

"전부 가짜고 가식이었어? 받는 것만으로도 충분하다고 했잖아. 다 이렇게 속이려고 했던 말이야?"

나는 솔 언니가 아니라고, 전부 진심이었다고 해 주길 바랐다. 하지만 솔 언니가 아니라고 한들 내가 그 말을 온전히 믿을 수 있을까. 아마 앞으로는 솔 언니가 내게 잘해 준다면 나는 다시 버림받을까 봐 불안할 것이다. 나는 솔 언니가 원망스럽다. 사라진 오백보다도 깨진 믿음이 아까웠다. 나에게 믿음은 다른 사람들처럼 쉽게 가질 수 있는 것이 아니었다. 솔 언니가 내게 오백보다 더 큰 돈을 주더라도 살 수 없을 것이다. 눈물은 조금도 나지 않았다. 해서 언니처럼 화가 나지도 않았기 때문에 억지로 화를 내려 하는 것도 이상했다. 아주 어릴 때, 나의 어딘가가 고장 난 게 아닐까. 아빠가 나를 포기했다는 사실을 알게 된 순간이 떠올랐다. 벌써 십 년도 더 지난 일인데도 그 순간은 카메라로 찍은 것처럼 기억 속에서 생생하게 재생되었다. 그룹홈에 처음 들어갔을 때 나를 처음 봤던 선생님들이 나의 반응이 이상하다고, 보통 아이들 같지 않다고 했던 말이 떠올랐다. 내가 더 조심했어야 했다. 배신이 코앞에 있었다. 다시는 상처받지 않게 꽁꽁 마음을 닫고 숨겼어야지. 내 안의 어떤 목소리가 나를 책망했다.

"돈은 어떻게 된 거야."

나는 발끝으로 바닥을 툭툭 차며 말했다. 그네가 앞뒤로 조금씩 흔들리며 삐걱거리는 소리를 냈다. 솔 언니의 그네도 언니의 움직임에 조금씩 흔들렸다.

"할머니가 낙상으로 다치셨어. 골반뼈가 부러져서 수술해야 했거든. 한 번 하면 되는 줄 알았는데 수술을 여러 번 해야 해서 돈이 계속 필요했어."

그러다가 집의 보증금도 빼게 됐다고, 급한 돈은 신용 카드를 사용했는데 나중에는 신용 카드 빚을 갚지 못할 정도가 되었다고 했다. 나는 왜 돈도 없으면서 무리하게 선물을 샀느냐고 솔 언니를 채근했다. 솔 언니는 그건 사 주고 싶었던 거라고, 진심이었다고 말했다. 알고 보면 솔 언니도 사랑을 주고받는 방법을 몰랐던 게 아닐까. 나는 그동안 솔 언니가 나에게 무리하게 줬던 선물들을 떠올렸다.

"다행히 큰 수술은 끝났어. 자잘한 수술이 몇 번 더 남긴 했지만."

아직 수술이 더 남았다는데 대체 뭐가 다행이라는 건지. 답답한 마음에 나는 양손으로 그넷줄을 잡고 힘껏 발을 굴렀다. 처음에 작은 폭으로 움직이기를 반복하던 그네가 점차 큰 폭으로 왔다 갔다 하기 시작했다. 나는 구름 한 점 없는 하늘을 걷어찰 것처럼 발을 뻗었다가 바닥으로 떨어졌다. 그리고 다시 다리를 구르며 내려오기를 여러 번 반복했다. 솔 언니는 캔 초코를 따려고 시도하다가 결국 따지 못했다. 손에 힘이 제대로 들어가지 않는 것 같았다. 나는 발을 땅에 질질 끌어 그네를 멈추었다. 나는 혀를 차며 말했다.

"그네도 못 타. 캔도 못 따. 그러게 왜 그랬어."

나는 내 음료를 따서 솔 언니에게 건네며 말했다.

"갚고 살아."

솔 언니가 알지 모르겠지만 나는 '살아'라는 말에 힘을 주었다. 갚는 게 사는 이유가 될 수 있을지는 모르겠지만 그랬으면 좋겠다고 생각했다.

솔 언니는 내게 캔 초코를 받고서 따지 못한 자신의 캔을 내게 건넸다. 나는 아직 온기가 남아 있는 캔 음료를 받아서 뚜껑을 땄다. 캔이 열리면서 경쾌한 소리가 났다. 나는 따뜻한 음료를 조금 마셨다. 솔 언니도 조금 마셨다. 나는 솔 언니에게 내가 가장 하고 싶은 말을 하기로 마음먹었다. 한입 가득 음료를 삼킨다. 달다. 단맛에 기분이 조금 나아지려고 했다. 하지만 우리의 상황은 조금도 달지 않았다.

"언니는 나한테 왜 잘해 줬어? 내가 불쌍했어? 그거 알아? 나한테는 잘해 주다가 뒤통수 치는 게 제일 상처 주는 거다."

이럴 거면 처음부터 시작하지도 말았어야지. 책임지지도 않을 거면서 제멋대로 주는 호의는 악의보다 나쁘다. 오히려 사람을 더 아프게 한다. 선물 주고 맛있는 거 준다고 좋아할 줄 알았나. 아빠가 생각났다. 선량한 얼굴로 선물을 사 들고 그룹홈으로 찾아오다가 마음을 주면 어느 순간 발길을 끊는 가족 단위 봉사자들도, 먹을 것을 챙겨 주면서도 내가 멀어지면 아빠 욕을 하던 함바 식당 이모들의 얼굴도 희미하게 스쳐 지나갔다. 해서 언니가 왜 그리도 동정을 싫어했었는지도 뒤늦게 이해가 됐다. 하지만 해서 언니도 내게 갑자기 연락을 끊고 사라졌었다. 누굴 믿어야 하지. 누굴 꼭 믿어야 하나. 타인을 믿는 게 세상에서 가장 위험하고 조심해야 할 일이 아닐까. 솔 언니는 그런 내 얼굴을 물끄러미 보더니 말했다.

"아빠가 감옥 가고서 설이 장례식장에 사람들이 왔어. 친척

들이랑 아빠 친구들. 대부분 내가 아는 얼굴이었어. 삼촌이나 이모라고 불렀던 사람들이었거든. 그 사람들도 설이를 알고 있었지. 그래서 나는 당연히 나를 위로하려고, 설이 마지막 가는 길 보러 온 줄 알았어. 그런데 다들 아빠가 빌린 돈 받으러 온 거더라. 미안해. 내가 제일 싫어하는 사람인데 지금 내 꼴이 아빠랑 닮았다고 생각하니깐 살기가 싫더라고.”

그 말을 하는 솔 언니의 눈은 바짝 말라 건조했다. 애먼 내 눈에만 눈물이 맺혀 볼을 타고 흘렀다. 나는 재빨리 손등으로 뺨을 훔쳤다. 내가 더 조심했어야 했다. 내가 아빠 같은 선택을 하지 않도록 노력하는 것뿐만 아니라 가까운 사람들도 그러지 않게끔. 하지만 어디서부터 어디까지 어떻게 더 조심할 수 있을까. 조심한다고 도망칠 수 있는 일인 걸까. 나는 가늠이 되지 않아 아득해졌다. 솔 언니는 바닥을 보며 신발 바닥으로 그네 밑의 우레탄 바닥을 꾹꾹 눌렀다. 그네가 작게 끼익하는 소리를 냈다. 나도 솔 언니를 따라 바닥을 꾹꾹 밟았다. 한참을 바닥만 밟던 솔 언니가 낮게 잠긴 목소리로 말했다.

“어떻게 해야 할지 아무것도 모르겠어.”

“나도 모르겠어. 언니도, 해서 언니도 부모한테 그렇게 당했으면 똑같이 살지 말아야 하는 거잖아.”

해서 언니가 아빠처럼 연락이 두절돼서 두렵고 불안했던 일이 떠올랐다. 솔 언니에게 느낀 배신감 때문에 솔 언니와 다시 예전처럼 가까워지는 게 두려웠다. 마음을 줬다가 또 죽으려고 하면 어떡하지. 다음에는 혹시라도 자살에 성공이라도 하면 어쩌려고. 그 고통을 견딜 수 있겠느냐고. 그랬다간 내가 죽을지도 몰라. 아빠 같은 사람들은 다 멀리하고 도망쳐 버려. 그래야 내가 살 수 있다고, 그래야 안전하다고. 여섯 살 상처받은 민서의 목소리가 나를 충동질했다. 하지만 나는 솔 언니와 해서 언니를 끊어 내고 싶지 않았다. 이상하게도 두렵다는 이유로 솔 언니와 해서 언니를 끊어 내는 게 아빠 같은 방식이라는 생각이 들었다. 전부 부질없더라도, 다시 상처받더라도, 결국 실패하더라도 나는 믿어 보기로 했다. 솔 언니는 아빠와 다르다. 아빠는 죽었고 솔 언니는 살았다. 배신의 순간에서 솔 언니는 마음을 바꾸고 돌아왔다. 나는 솔 언니에게 말했다.

"아빠를 조심해."

나는 바닥에 캔을 내려놓고 다시 발을 굴렀다. 그네는 다시 하늘까지 올랐다가 바닥으로 떨어진다. 솔 언니도 발을 구른다. 한 손으로만 줄을 잡고 발을 찬다. 다친 팔은 그넷줄 옆으로 늘어뜨린 채로. 그네는 높이 오르지 못한다. 하지만 솔 언니는 몇 번이고 힘을 주어 바닥을 발로 찼다. 한 손으로 잡은 줄은 균형이 맞지 않아 솔 언니의 그네는 좌우로 비틀려 앞뒤로 운동하면서 삐걱거리는 소리를 내었다.

그룹홈을 나온 해의 겨울은 몹시 추웠었다. 추위는 몸뿐만 아니라 마음으로도 들어왔다. 아마 그해에 솔 언니가 오백만 원을 내게서 가지고 갔다면 그 일은 나를 죽였을지도 모른다. 언젠가 그런 기사를 읽은 적이 있다. 보육원에서 자란 아이가 지인에게 백만 원을 사기당해 목숨을 끊었다는 기사였다. 왜 젊은 나이에 고작 백만 원 때문에 죽느냐며 안타까워하는 댓글을 보면서 나는 생각했다. 아니야. 고작 백만 원 때문에 죽은 게 아니라고. 그는 이미 낭떠러지에 서 있었고 그 일은 마지막 한 발을 떠민 것뿐이라고. 다 스러진 솔 언니를 절벽 밑으로 떠민 건 무엇이었을까. 마지막 순간에 솔 언니는 무슨 힘으로 다시 살기를 결정했을까. 어찌 되었든 솔 언니는 나를 죽이려 한 게 아니다. 할머니를 살리려고 했다. 그래서 할머니는 살았다. 솔 언니에겐 그게 중요한 일이었을 거다. 그건 내게도 중요했다. 솔 언니가 틀리고 내가 맞았다. 산 게 낫다. 죽는 것보다는.

솔 언니는 해서 언니와 같이 살게 되었다. 일하면서 혼자 완벽이를 키우기는 힘들 테니 같이 살면서 도와 달라는 게 해서 언니가 솔 언니에게 부여한 명분이었다. 나는 매일 해서 언니의 집을 오가며 둘의 동거를 지켜보았다. 솔 언니와 해서 언니 둘 중 누구도 안심이 되지도 믿음이 가지도 않았다. 나는 솔 언니가 팔의 상처를 돌보지 않는 점을 이유로 들었지만 눈앞에 두고 보지 않으면 내가 불안한 게 진짜 이유일지도 모른다고 생각했다. 일주일 후에 나까지 짐을 싸서 들어오자 해서 언니는 탄식했다.

"아이고, 내 신세야. 너는 또 왜."

"집 보증금 빼려고. 앞으로 나도 여기서 같이 살 거니까 그거 줄게."

살던 집의 보증금을 빼니 천만 원 정도 되었다. 해서 언니는 보증금을 그렇게 많이 모았느냐고 놀라면서도 담담히 받았다. 예정대로 해서 언니가 창업하는 데 보탬이 되었으면 좋겠다고 생각했다.

요즘 들어 해서 언니는 내 신세야, 내 팔자야, 내가 어쩌다가 이렇게 됐나 등등 앓는 소리를 자주 냈다. 집에서 누워 있는 나와 솔 언니를 보면 그런 소리를 내곤 했는데 우리를 보고 답답하다며 산책을 나갔다 오기도 했다. 하지만 내가 보기에는 여느 때보다도 해서 언니의 상태는 괜찮아 보였다. 나는 해서 언니와 솔 언니의 상태를 직접 보고 매일 확인할 수 있어서 마음이 편안했다. 눈치가 빠른 해서 언니는 나의 변화를 알아채고서는 내가 너무 자기한테 집착한다고 했다. 그 말이 맞았다. 솔 언니와 해서 언니는 내게 아주 가깝고 소중한 사람이 되었지만 여전히 믿음직스럽지는 않았다.

"그러게 내 트라우마를 건드리지 말았어야지."

아빠와 해서 언니가 비슷한 점, 그리고 내가 집착을 할 수밖에 없는 이유에 대해서 설명하기도 전에 해서 언니는 알았다고 잘못을 시인하며 내 입을 막았다.

솔 언니는 우리가 보는 앞에서 신용 카드를 반으로 접어 쓰레기통에 넣었다. 언제든지 재발급받을 수는 있겠지만 그러지 않기로 약속했다. 해서 언니는 솔 언니에게 월급이 들어오면 할머니 간병비와 생활비를 제외하고 나머지는 자기한테 빌린 돈을 갚으라고 했다. 해서 언니는 솔 언니에게서 돈을 받고 미용 일이 안정되면 내 돈을 갚겠다고 했다. 나는 괜찮다고 사양했지만 해서 언니는 언제까지고 다 같이 살 수는 없다고 선을 그어서 나를 서운하게 했다. 하지만 솔 언니의 월급에서 간병비가 빠지고 나면 남는 돈은 많지 않았기 때문에 솔 언니는 당분간 해서 언니에게 돈을 갚을 수 없을 것이고, 해서 언니 역시 내 돈을 갚을 수 없을 것이다. 그 기간이 아주 오래 길어졌으면 좋겠다고 나는 생각했다.

우리는 거실에 소파와 티브이를 치우고 푹신푹신한 아기 매트를 깔기로 했다. 거실의 티브이와 전선들을 정리해서 뽁뽁이로 감싸고 테이프로 단단하게 고정한 솔 언니는 이제 정말 마지막 기회라며 해서 언니에게 물었다.

"티브이 진짜 팔아도 돼? 나 당근에 지금 올린다. 정말 미련 없지?"

솔 언니는 해서 언니에게 벼룩시장 앱의 업로드 화면을 보여 주며 말했다. 이제 확인 버튼만 누르면 된다. 해서 언니는 그룹 홈에 있을 때부터 티브이를 무척 좋아했다. 사람 소리가 좋다고 했었나, 사람 소리가 없는 적막함이 싫다고 했었나. 둘 다라고 했던 것 같기도 하다. 보지 않더라도 티브이를 자꾸 틀어 놓았는데 그 때문에 사회 복지사 선생님들과 갈등이 있을 정도였다. 우리끼리는 서로 자기가 보고 싶은 거 보겠다고 싸운 적도 많았다. 정말 팔아도 되나. 나도 확답을 기다리며 해서 언니를 물끄러미 바라보았다.

솔 언니는 자신이 누울 공간을 확보하기 위해 해서 언니가 티브이까지 치우는 걸 미안해했다. 나도 그런 마음이 없는 건 아니었지만 솔 언니만큼은 아니었다. 해서 언니와 솔 언니 사이에는 돈 문제도 있었고 해서 언니 집에서 신세를 지게 되었으니 솔 언니가 불편할 만은 했다. 그룹홈에서도 이렇게 서로를 위하고 양보했더라면 사회 복지사 선생님들도 고생을 안 했을 것이라는 별 영양가 없는 생각을 하는데 해서 언니가 말했다.

"원래 완벽이 태어나면 티브이는 치우려고 했어. 아기한테 안 좋다는데 애한테 안 된다고 하려면 엄마도 안 봐야지."

솔 언니는 그제야 티브이 판매 글을 업로드했다. 그렇게 말하는 해서 언니의 말이 나에게도 묘한 울림을 주었다. 애한테 안 된다고 하려면 엄마도 안 본다니. 해서 언니가 정말 엄마 같아 보이면서도, 그런 존재가 있는 완벽이가 부러웠다.

"해서 언니가 그런 생각을 하다니……."

나의 반응에 해서 언니는 멋쩍어하며 어깨를 으쓱했다. 나는 거실에 아기 매트를 넓게 깔았다. 매트의 촉감이 부드럽고 푹신했다. 예전에 솔 언니가 해서 언니에게 선물로 보내 준 매트라고 했다.

"이거 내가 선물했는데 내가 쓰게 되니깐 이상하네."

"꽤 비싼 거 산 거 같은데. 엄청 좋다."

나는 펼친 매트 위에 누워서 얼굴을 문대며 촉감을 즐겼다.

"선물이니까 좀 괜찮은 거로 샀지. 맘 카페에서 검색해 보고 산 거야. 이게 추천이 제일 많았어."

"그러게 서로서로 좋은 것만 줘야지. 결국 이렇게 돌아오잖아."

솔 언니는 멋쩍은 듯 웃었지만 나는 신경 쓰지 않고 매트에 얼굴을 부볐다. 거실은 낮에는 완벽이의 놀이터가 되었다가 밤에는 나와 솔 언니의 잠자리가 될 것이다.

완벽이의 출산 예정일이 삼 일 지났다. 다음 주는 솔 언니가 실밥을 뽑으러 병원에 가는 날이었다. 나는 핸드폰에 저장해 둔

캘린더의 병원 예약 일정을 체크했다. 내가 누군가를 이렇게 살피고 돌본 적이 있었던가. 내 한 몸 챙기는 것도 벅찼었는데 이런 변화에 기분이 묘해졌다. 예전에는 솔 언니가 나를 많이 챙겼고 지금도 많은 부분에서 능숙하게 나를 도왔다. 해서 언니와 나의 어려움은 척척 해결해 주면서도 솔 언니는 이상할 정도로 자신의 상처는 잘 돌보지 않았다. 나는 솔 언니의 그런 양면성이 불안하게 느껴졌다. 같이 살게 되니 그런 모습은 더 자주 보였다. 나는 알바가 끝난 후 저녁에 솔 언니의 팔을 소독했다. 솔 언니의 팔은 시커메졌다가 보라색이 되었다가 노랗게 되면서 아물어 가고 있었다.

편의점 알바를 마치고 돌아온 집 안이 적막했다. 다 같이 산 지 얼마나 됐다고 나는 이 적막함을 싫어하게 됐다. 틀어 놓을 티브이도 없어서 나는 그냥 아기 매트에 누워 얼굴을 비비며 부드러운 감촉을 느꼈다. 오늘은 현관 앞에 솔 언니의 트렁크가 없었다. 해서 언니 집에서 같이 살면서 솔 언니는 한 번도 트렁크를 연 적이 없었다. 솔 언니는 외출을 할 때면 그것을 끌고 나가곤 했다. 그렇다고 늘 가지고 나가는 것은 아니었다. 솔 언니가 습관적으로 엄지손톱을 잘근잘근 씹는 날이면 그날은 꼭 트렁크와 동행했다. 나는 트렁크 안에 설 언니에 대한 추억들이 들어 있을 거라고 생각했다. 트렁크는 지금의 솔 언니가 가지고

203

다니기엔 너무 낡고 어린아이의 물건처럼 보여서 어울리지 않았지만 솔 언니는 신경 쓰지 않는 것 같았다. 해서 언니도 그에 대해서는 아무 말도 하지 않았다.

그러고 보니 해서 언니는 오늘 솔 언니와 함께 산부인과에 간다고 했었다. 언제쯤 돌아오려나. 나는 핸드폰을 켜서 솔 언니에게 메시지를 보냈다. 메시지에는 답이 없다. 해서 언니와 솔 언니를 기다리다가 깜빡 잠이 들려던 차에 도어 락 비밀번호를 누르는 소리를 듣고 정신이 또렷해졌다. 솔 언니와 해서 언니가 차례로 들어왔다. 순간 나는 우리가 그룹홈으로 돌아온 것 같다는 생각을 했다. 나는 매트에 누운 채로 현관 쪽으로 고개만 돌려 해서 언니에게 물었다.

"병원에서는 뭐래?"

해서 언니가 슬리퍼를 벗으며 거실 안으로 들어오면서 말했다.

"괜찮대. 일주일까지는 그러기도 한다고 기다려 보자더라. 42주까지도 괜찮으니까 너무 걱정하지 말래. 기다리는 동안 가만있지 말고 걷고 운동 좀 하래."

오늘은 솔 언니가 나와 해서 언니에게 밥을 산다고 했다. 해서 언니가 그런 솔 언니를 만류했다.

"솔아, 나는 이제 네가 사는 공짜 밥은 무서워서 못 먹겠어. 그

낭 내가 살게."

해서 언니의 뼈 있는 말에 솔 언니는 멋쩍어하며 말했다.

"공짜 아니야. 오늘 여기까지 다 같이 왔잖아. 고마워."

"고맙긴 뭐가 고마워. 내가 오고 싶어서 온 건데."

솔 언니는 어제저녁부터 현관 앞에 세워 둔 트렁크를 힐끔거리더니 오늘 아침에는 그것을 챙겨 길을 나섰다. 우리는 언덕을 올랐다. 해서 언니의 숨소리가 거칠었다. 발걸음 소리는 솔 언니가 트렁크를 끄는 소리에 묻혔다. 솔 언니는 한 손으로는 가방을 잡고 이제는 붕대를 감지 않아도 되는 팔을 들어 이마 위에 맺힌 땀을 닦았다. 설 언니는 2봉안당에 있다고 했다. 봉안당 매점에서 받은 지도를 보니 2봉안당은 1봉안당을 지나 조금 떨어진 곳에 있었다. 해서 언니는 두 손으로 배를 받치고 힘겹게 걸었다. 솔 언니는 그런 해서 언니를 보고 불안해하며 무리하지 말고 그만 내려가는 게 어떠냐고 물었다. 해서 언니는 병원에서도 걷기 운동을 하라고 했다며 오히려 앞장서서 걸었다. 우리는 해서 언니의 속도에 맞춰서 걸었다.

"나 화장실 가고 싶은데."

해서 언니의 말에 솔 언니는 가는 길에 있는 1봉안당 화장실에 들렀다 가자고 했다. 봉안당은 1봉안당부터 3봉안당까지 건물이 세 채나 되었는데 나는 생각보다 큰 규모에 놀랐다. 각 봉안당 사이는 조금 떨어져 있었고 산으로 둘러싸인 언덕길이라 그런지 피부에 닿는 공기가 청량하면서도 시원했다. 걸어 올라가는 동안 차량 몇 대가 우리를 스쳐 지나갔다. 그중에는 검은색 장례식장 차도 있었다. 1봉안당 앞에 도착하니, 그 차가 정차해 있었다. 우리는 1봉안당 안으로 들어갔다. 먼저 있던 사람들이 문이 열리는 인기척에 슬쩍 뒤를 돌아보았다가 다시 영정 사진을 보고 울음소리를 내었다. 검은 옷을 입은 상주는 하얀 장갑을 끼고 유골함을 들고 있었다. 장례 절차가 진행 중인 것 같았다. 해서 언니는 급한 걸음으로 화장실 쪽으로 걸어 들어갔다. 봉안당의 벽과 바닥은 대리석으로 되어 있었고 해가 잘 들지 않아 서늘했다. 솔 언니와 나는 바깥으로 나가 해서 언니를 기다리기로 했다. 해서 언니는 곧 밖으로 나왔다.

2봉안당은 조용했다. 입구에는 방명록이 펼쳐져 있었고 방명록 가운데에 붓 펜이 놓여 있었다. 먼저 다녀간 사람들의 이름이 세로로 쓰여 있었다. 솔 언니는 익숙한 듯 붓 펜을 꺼내 이름을 적었고 그 뒤로 해서 언니와 내가 차례로 이름을 적었다. 나는 솔 언니를 따라 안으로 걸었다. 바닥부터 천장까지 빼곡하게 사람들의 사진들이 붙어 있었다. 유골함의 주인 대부분은 노인으로 보였고 젊은 사람이나 어린아이의 사진이 눈에 띄면 중간중간 시선을 멈추게 되었다. 나와 해서 언니는 솔 언니를 따라 걷다가 설 언니를 발견했다. 솔 언니는 설 언니의 앞에 멈추어 서서 말했다.

"그래도 적당히 괜찮은 위치에 잘 들어갔지."

설 언니의 유골함이 너무 낮지도 높지도 않은 위치에 있어서 우리는 설 언니를 마주 볼 수 있었다.

"그러게. 너무 높으면 난감하겠네."

높은 위치까지 자리한 유골함들을 올려다보면서 나는 미리 써 온 편지를 유리문 사이로 밀어 넣었다. 유리문 사이로 틈이 있어서 편지나 쪽지를 넣을 수 있다고 솔 언니가 말해 주었다. 그동안 솔 언니가 다녀간 흔적들이 작게 접힌 쪽지들로 유골함 주변에 흩어져 있었다. 해서 언니도 편지를 유리문 안쪽으로 밀어 넣었다. 봉안당 매점에 들러 산 작은 꽃다발을 설 언니의 사진 옆에 붙였다. 봉안당 매점에서 파는 꽃 중에 살아 있는 꽃은 없었다. 바짝 말린 죽은 꽃이거나 생화를 흉내 낸 가짜 꽃이었다. 나는 고민하다가 그래도 가짜 꽃보다는 한때는 살아 있었던 말린 꽃을 설 언니에게 주기 위해 샀다. 설이 언니, 죽은 꽃밖에 없어서 정말 미안해. 다음에 올 땐 편지를 더 길게 써 올게. 꽃은 편지에 그림으로 그리면 되겠다고 생각하면서 사진 속 설 언니의 얼굴을 마주 보았다. 설과 솔 언니가 함께 찍은 사진도 있었다. 설 언니는 지금의 솔 언니와 비슷했지만, 분위기는 달랐다. 언니의 시간이 예전에 멈춰 있는 것 같았다. 설 언니의 위아래로는 할아버지와 할머니들 사진이 붙어 있었다. 솔 언니가 설 언니에게 말했다.

"할머니 할아버지들이랑 잘 놀고 있어. 다음에 또 올게."

얼마 전 솔 언니가 휴대폰에 올려준 설 언니의 사진들을 보아서 그런지 완전히 낯설지는 않았지만, 나보다도 앳되어 보이는 얼굴을 보니 기분이 이상했다.

설 언니, 이제 내가 언니보다 나이가 많네. 정말 이상하지. 솔 언니를 지켜 줘서 고마워. 이제 솔 언니는 내가 잘 돌볼게. 잘 쉬어. 안녕.

나는 편지에도 적었던 말을 마음속으로 중얼거리며 설 언니에게 인사했다. 해서 언니도 설 언니의 사진을 한참이나 물끄러미 보았다.

해서 언니와 나는 다시 솔 언니를 따라 봉안당을 내려왔다. 솔 언니는 근처의 절로 우리를 안내했다. 안내대의 할아버지가 솔 언니와 일행인 우리를 보고 합장하고 인사했다. 솔 언니도 마주 보고 인사했고 나와 해서 언니도 솔 언니를 따라 합장했다. 다른 사람은 없는 듯 절은 고요했다. 정자 쪽으로 다가가 신발을 벗고 안으로 들어가는 솔 언니를 보고 해서 언니가 물었다.

"여기 이렇게 들어가도 되는 거야?"

해서 언니와 나는 솔 언니를 따라 신발을 벗어 놓고 정자에 들어가서 앉았다.

"응, 여기 와서 앉아 있어도 돼. 나만 아는 비밀 장소인데 알려주는 거야."

바람이 불었다.

처마에 매달린 새 모양의 종이 바람에 흔들리며 소리를 내었다. 우리는 아무 말도 하지 않고 종소리를 들었다. 솔 언니는 익숙한 듯 정자의 천장을 보며 누웠다. 그 모습을 보고 해서 언니도 비스듬하게 정자 기둥에 기대어 앉았다. 나는 솔 언니를 따라 누웠다. 파랗고 잔잔한 하늘에 구름이 아주 조금씩만 움직였다. 잠깐씩 눈을 감으니 졸음이 왔다. 다 같이 깜박 잠이 들었다가 정신을 차리니 해가 질 것 같아서 서둘러 집으로 돌아왔다.

예정일을 넘기고 일주일이 지났는데도 완벽이는 오지 않았다. 예정일이 가까워지면서 솔 언니와 나는 밤새 몇 번이고 깨서 해서 언니의 방을 확인했다. 예정일을 넘기고서는 더 심해졌다. 해서 언니의 담당 의사는 아기 상태가 양호하고 산모 컨디션이 괜찮아서 더 기다릴 수 있다고 했단다. 병원에서 괜찮다는 소리를 들은 해서 언니는 크게 걱정하지 않는 것 같았다. 나는 초조해졌다. 내가 완벽이가 오는 걸 두려워하는 걸 알고 완벽이가 늦게 오는 건 아닐까. 나는 완벽이에게 미안해졌다.

부슬부슬 봄비가 내리는 날이었다. 42주를 꽉 채우기 직전에 기다리던 완벽이가 왔다. 오랜만에 내린 빗방울에 젖은 흙냄새가 코끝을 맴돌았다.

"빨갛고 쭈글쭈글해. 누굴 닮았는지 정말 못생겼네."

해서 언니가 완벽이를 보고 지친 목소리로 말했다. 해서 언니 말대로 완벽이는 불그스름하고 주름이 많았으며 눈의 초점도 제대로 맞지 않았다. 기다리고 상상했던 것과는 달리 완벽이는 하얗지도 포동포동하지도 부드러워 보이지도 않았다. 해서 언니가 못생겼다고 완벽이를 버리진 않겠지. 기우도 잠시, 완벽이가 제자리를 찾아가는 것처럼 해서 언니의 품에 파고들었다. 그 모습을 보니 왠지 눈물이 나올 것 같았다. 옆을 보니 솔 언니도 미묘한 시선으로 해서 언니와 완벽이를 빤히 응시하고 있었다. 해서 언니는 소중한 것을 품듯이 조심스럽게 완벽이를 안았다. 그런 해서 언니의 품이 불편한지 완벽이는 몸을 뒤척이며 조금씩 울먹거렸다. 완벽이는 아직 여린 목을 가누지 못하며 불안하게 흔들렸다. 당황한 해서 언니가 옆의 간호사에게 도움의 눈빛을 보냈다.

"무서워요. 어떻게 해야 해요?"

해서 언니가 간호사에게 도움을 요청하자 간호사는 해서 언니에게 완벽이를 받아서 들어 안았다. 해서 언니는 안심한 표정을 지으며 간호사의 행동을 집중해서 관찰했다. 간호사는 한 손으론 아기의 목 뒤를 감싸고 다른 손으로 아기의 엉덩이를 받치며 안는 법을 보여 주었다. 안정적인 자세였다. 나와 솔 언니도 간호사의 자세를 자세히 관찰했다. 해서 언니는 다시 완벽이를 안았고 그 모습은 아까보다는 나아졌지만 여전히 어설펐다. 간호사는 처음보다 훨씬 좋아졌다고, 금방 익숙해질 거라고 해서 언니를 격려했다. 지친 몸으로도 오늘 초면인 완벽이를 편안하게 해 주려고 노력하는 해서 언니를 보니 나는 안심이 되면서도 슬프고 화가 났다. 저렇게 작고 약한 걸 어떻게 버렸을까. 기억 속에서 흐릿해진 사람에 대한 분노가 잠깐 일었다가 마음을 돌렸다. 이유가 있다 하더라도 내가 알 필요는 없을 것이다. 그것보다 중요한 건 내가 슬프고 화가 난다는 것과 완벽이는 이런 일을 겪지 않기를 바란다는 것이었다. 책임감으로 마음이 무거워지면서도 완벽이를 마주하는 일이 내가 상상했던 것보다 두려운 일은 아니었다는 생각이 들었다. 네가 세상에 나오는 걸 너무 겁내서 미안해. 나는 마음속으로 사과하며 축하한다고, 애썼다고, 해서 언니와 완벽이에게 진심으로 말했다. 나는 집으로 돌아가면 해서 언니와 완벽이에게 방 창문 밑에 둘 살아 있는 꽃을 선물해야겠다고 생각했다.

작가의 말

이 이야기는 오래전에 시작되어 오늘도 계속되고 있는 이야 기이다. 나의 좌절과 소망들도 이 소설 안에 들어 있다. 『완벽이 온다』는 내게 아주 가까운 글이고 나의 방식대로 쓰인 글이지 만 그렇기 때문인지 오히려 마음대로 쓸 수 없었다. 글을 쓰기 위해 앉을 때면 슬프고 불편하고 조심스러운 마음이 들었다.

슬프고 불편하지만 조심스럽게 다루어야 할 일들에 관심이 많다. 그리고 한 사람에게 집중하는 일을 좋아한다. 『완벽이 온 다』를 쓰는 동안 민서라는 사람에게 오랫동안 집중할 수 있어 서 좋았다. 민서를 중심으로 등장했던 해서와 솔에게 어느새 민 서가 다가가 관계 맺기 시작하는 것을 보며 대단한 일이라고 생 각했다. 처음 이야기를 시작할 때는 예상하지 못했던 일이다.

앞으로도 글을 쓰며 예상하지 못한 순간들을 겪어 내고 싶다.

이야기가 진행되면서 민서들이 겪는 일에 마음이 아팠다. 더 좋은 방법이 있을까. 모르겠지만 지금의 나에게는 이게 최선이었다. 그저 바람대로 즐거운 일들만 가득하도록 쓸 수 없었다. 나의 아이들에게 지금도 미안한 마음이 든다.

민서와 해서, 솔 등 소설 속 인물들이 특정한 개인이나 집단을 대표한다고 생각하지 않는다. 삶의 어느 순간에서 누구나 민서가 될 수 있고 민서에게 공감할 수 있다고 생각한다. 그런 의미에서 모든 민서들이 자신만의 방식으로 세상과 관계 맺고 살아가기를, 그럴 수 있는 기회를 자주 만나기를 소망한다.

퇴고를 진행하면서 가장 처음 썼던 부분을 덜어 내야 했다. 개인적으로 애정이 있던 부분이었지만 고집하지 않기로 했다. 처음의 삐걱거림을 남기는 것과 지우는 것 모두 의미 있는 일이라고 생각한다. 좀 더 많은 민서들에게 닿길 바라는 마음에서 지우는 쪽으로 마음이 기울었다.

한 권의 책이 완성되기까지 많은 분들의 노고가 있다는 걸 알게 되었다. 출판의 기회를 주신 심사 위원 선생님들과 독자 심사단에게 감사하다. 한 편의 소설이 책이 되도록 의견 주고 꾸며 주신 출판사 분들께 감사 인사를 전하고 싶다. 마지막으로 함께 기뻐해 주시고 축하해 주신 모든 분들께 감사드린다.

2023년 8월

이지애

완벽이 온다

초판 1쇄 발행 2023년 8월 21일

지은이 • 이지애
펴낸이 • 김종곤
편집 • 이혜선
조판 • 이주니
펴낸곳 • (주)창비교육
등록 • 2014년 6월 20일 제2014-000183호
주소 • 04004 서울특별시 마포구 월드컵로12길 7
전화 • 1833-7247
팩스 • 영업 070-4838-4938 | 편집 02-6949-0953
홈페이지 • www.changbiedu.com
전자우편 • contents@changbi.com

 창비교육 성장소설 시리즈는 '성장'을 고리로
소통과 공감을 이끌어 내는 이야기를 담아냅니다.